キャリアパスで大切なたった2つのこと

はじめに

この本を手に取っていただき、ありがとうございます。

北海道小樽市にある松ヶ枝堂薬局の薬剤師・土屋武大といいます。

この一月には行政書士登録をし、小樽つちや行政書士事務所を開設いたしました。

出身地である小樽に高校まで過ごし、大学進学とともに上京。

昨年七月までは経済産業省の官僚でしたが、現在は再び小樽に戻ってきました。

本書を通じて、私の経験から得た教訓と小樽の地方創生に向けた思いをみなさまと共有したいと思います。

私の人生は、全く予想していなかった軌跡をたどってきました。

小樽という地方から東京大学への進学、そして薬学部に進学し、研究者としての挑戦と挫折。

その後、日本を代表する三大官庁の一つと言われる経済産業省への入省と、そこで得た三カ国（インドネシア、ベトナム、インド）の海外勤務を含めた多様な経験。

そして、私自身ほとんど想像していなかったのですが、再び故郷の小樽へと戻る道を選んだのです。


本書は、一見すると一人の官僚のキャリアの軌跡のように見えるかもしれません。ですが、薬学部にもかかわらず経済産業省へ進み、そして小樽に戻るという異色のキャリアは、「一つのことに挑戦し続ける中で、予想もしなかった多くの道が開ける」という、色々な世代の方へのメッセージになるのではないかと感じ、魂を込めて書きました。

さて。

私は今四六歳ですが、高校まで住んでいたころの小樽を思い出すと、その変貌ぶりには正直驚かされます。

小樽運河などの観光名所は賑わっていますが、地元の人が行き交う市街地などでは、かつての賑わいは影を潜め、かなり寂れた印象を受けるようになっていました。

その原因の一つとして、小樽市内において仕事の機会が減少していることが挙げられるでしょう。

その結果、多くの若者が高校や大学を卒業すると、より多くの機会を求めて札幌やその他の地域へと流出してしまうのです。

たとえ彼らが故郷に戻ってきたとしても、なかなか仕事が見つからない、といった状況が待っています。


この町の変化は、地元の商業にも深刻な影響を及ぼしています。

長年にわたって営業を続けてきた飲食店などが次々と閉店しており、その主な理由は高齢化により後継者がいないことにあります。

かつては賑わいを見せていた街並みも、今やシャッターを閉じた店が目立つようになりました。


私の実家の薬局の前にあるバス停の状況を例に取ると、昔は一五分に一本の頻度でバスが来ていたのが、今では三〇分や一時間に一本という状況に。

バスを待つよりも歩いてしまったほうが早いくらいです。

さらに、私の同級生が継いだお寿司屋さんなどは、夜九時前には閉店してしまいます。

これは従業員が帰宅する公共交通手段が限られているからです。

この四月には、さらなるバスの減便がなされました。


そして、小樽の観光についても悲しい現実があります。

小樽には国内外から多くの観光客が訪れています。

特に、海外の方にとっては映画『Love Letter』の影響が大きいようです。

しかしながら、小樽には宿泊せずに過ぎ去っていく観光客がとても多いのが現状です。

北海道といえば観光地というイメージがありますが、札幌、旭川、函館、小樽などが主な観光地とされています。

しかし、これらの地域は離れているため、観光客は通常、一泊二日の旅程を組み、その地域に宿泊することが多いです。

しかしながら、小樽は札幌に近いという利点が逆にデメリットになってしまい、小樽運河などである程度の観光を楽しんだら、小樽ではなく札幌に移動し、宿泊する人が多い状況なのです。


このように小樽は多くの課題に直面していますが、それでもまだ希望が完全に失われたわけではありません。

私の同世代やより若い世代を中心に、この町を再び活気づけようという動きもあります。

とはいえ、それには公共交通機関などのインフラの整備や、子供を育てやすい環境づくりなど、多くの課題が残されていることも事実。

冬になると坂の多いこの町では、雪が降ると生活が一層困難になります。

これもまた、小樽が直面する多くの課題の一つでしょう。

人口も減少傾向にあります。具体的には、毎年約二〇〇〇人減少しており、私が高校を卒業した一九九六年時点で約一五～一六万人いたのが、現在は一一万人を切っています。

私の通っていた高校も、かつてはクラスが一〇クラス（一クラス四〇人で全校生徒四〇〇人）あったものが、今では五クラス（全校生徒二〇〇人）に半減してしまいました。

この四月に公表された人口戦略会議の調査結果では、「消滅可能性自治体」の一つに挙げられました。

小樽の未来を考える上で、これらの課題にどう対処していくかが鍵を握っています。

この町の魅力を再び引き出し、住みやすい環境を取り戻すためには、住民一人ひとりのさらなる努力と協力に加え、国内外の他地域とのより一層の連携が不可欠です。

そんな問題に直面している小樽ですが、私自身、特に国土交通省に出向した際の経験から、地方都市の活性化には「対流」、すなわち人々やアイデアなどの様々なリソースの交流を促進することが鍵となると考えています。

今後、地方創生の新たなビジョンを提示し、地方都市が直面する課題を克服するための道筋を、小樽や様々な地域の皆様と共に考えていきたいと思います。

本書の構成を説明します。

第一章は、私の幼少期から東京大学に入学するまでを記しました。

第二章は、東大入学から薬学部へ、そして大学院へ進学してからの苦悩の時代を経て、経済産業省へ入るまでを書いています。

第三、四章は、官僚時代の日々です。国内にとどまらず、インドネシア、ベトナム、インドなどに出向し、どのような経験を積んだのかを解説しました。

第五章は、官僚を辞めることになったきっかけから退職、そして現在のことを書きました。

それではお楽しみいただければ幸いです。

目次

第二章　大学院中退を経て経産省へ

第三章　経済産業省への入省、そして初めての海外

第四章　ベトナム、そしてインド

第五章　経産省を辞め、再び小樽へ

第一章　幼少期から東大入学まで

●北海道・小樽市で形成された私

私は一九七七年の六月五日生まれです。秋田県横手市にある母の実家でこの世に誕生しました。いわゆる里帰り出産です。

両親と兄と姉、そして私という五人家族。

その後、わずかな期間を経て、家族と共に小樽へ戻り、そこで幼少期から青年期にかけての大切な時期を過ごしました。

こうして、私の人生の大半は、美しい山と海がある町、小樽で形成されていったのです。

母の実家は秋田で農業を営んでいました。

幼いころから毎年夏休みになると、秋田の祖父母の家に滞在し、そこで兄弟や母方の従兄弟たちと一緒に、二〜三週間を田舎で楽しく過ごしていました。

この恒例の夏休みは小学校卒業まで続き、今振り返ると非常に貴重な経験となっています。

北海道の夏休みはそれほど長くないため、私にとって夏休みと言えばほぼ秋田での時間でした。

父方の祖父は小樽でサラリーマンでしたが、戦後、自ら会社を興し、薬の卸問屋を開始しました。

その会社が土屋薬品株式会社で、長年にわたり祖父が経営を行っていたのです。

後継者である父は、薬の知識を深めるべきだという祖父の考えにより、薬学部に進学しました。

そこで父は仙台にある東北薬科大学に入学し、母と出会い、やがて結婚に至りました。

その大学は現在、東北医科薬科大学と名を変えています。

父は卒業後、別の会社で修行をしたのち、祖父の会社に加わり、一方で昭和五四年には母が薬局を立ち上げました。

この薬局こそが松ヶ枝堂薬局なのです。

ちなみに大手の進出などもあり、土屋薬品株式会社は約三〇年前に閉じられ、その後父は母とともに薬局事業に参画しました。

●約四〇年続けている剣道との出会い

私は小学校時代、よくいる子どもとして、何気ない日々を過ごしていたと思います。勉強に対しても、あまり熱心ではなかったと言ってもいいでしょう。

私が勉強をしないことを見かねたのか、母が教材セットを買ってきて、「これをやりなさい」と促された記憶があります。

ただ、勉強熱心ではありませんでしたが、友人が通っていたからという理由で小学校二年生の時に始めた公文式のおかげで、勉強の成績自体はそこそこ良かったと記憶しています。

私はもう四〇年近く剣道を続けていますが、剣道との出会いは公文式を始めたのと同じ小学校二年生のとき。

きっかけとなったのは、学年が上がってのクラス替え。

そこでクラスメイトが一新されたことにあります。

仲良くなった友達に「帰ってから遊ぼうよ」と声をかけたものの、

「ごめん、剣道があるから」

と断られることが何回かありました。

そんな経験を通して、

「もし自分も剣道を始めたら、彼らと一緒に遊べるのではないか」

と考え、友人が通う道場に足を運び始めたのです。

全然積極的なきっかけでもないのですが、そんなふうに始めた剣道が今も続くなんて、当時は思ってもみませんでした。

剣道というものがよほど自分の肌に合っているのでしょう。

剣道を始めた当時、私はかなり太っており、運動が苦手でした。

そうした影響もあり、なかなか一生懸命稽古しようという気にならないことも多く、道場に行かなくなることもありました。

しかし、その後、私よりも遅れて姉が剣道を始めたのです。

ある日、サボった私に稽古から帰ってきた姉が、

「先生から、弟はどうした？っていちいち聞かれて面倒くさいから、あんた、稽古に来なさい！」

と言ってきました。

それがきっかけで、再び真剣に道場に通うようになりました。

このように、最初は剣道を特別好きというわけではなかったのですが、継続することで次第に変わってきました。

実際、当時の誰も、私が今も剣道を続けているとは思ってもいなかったでしょう。

剣道の魅力に気づき、本当に好きだと感じ始めたのは、小学校を卒業し、中学生になった頃。

決して強かったわけではありませんが、試合に出ては勝ったり負けたりを繰り返す過程

で、剣道が面白いものだということに気づきました。

「剣道の魅力とはなんでしょうか？」

と問われれば、打突《だとつ》をするまでの準備と戦略の面白さでしょう。

剣道は、打突の強さや速さで勝敗が決まると思われがちです。

けれど、実はもっと深いところに魅力があります。

打突の前に相手を攻め、相手を引き出したり、動きを止めたりする心理戦、すぐ打つのではなく溜めることの大切さ、そして打突するタイミングを見極める知恵が、剣道の本質を形作っています。

剣道には、「懸待一致《けんたいいっち》」という言葉があります。

これは、攻撃と防御が表裏一体をなすもので、攻撃中も相手の反撃に備える気持ちを失わず、防御にまわっている時には常に攻撃に転じる気持ちでいることの大切さを教えたものです。

攻める気持ちと待つ・応じる気持ちが一致し、どのような形にも変化できるように心と体を常に準備した構えが出来るようにすることがとても重要です。

とはいえ、この言葉を深く理解するに至ったのは、私が六段を取得してからで、その頃には剣道の真髄に触れ、より一層楽しむことができるようになりました。

今でもそれを体現するのに苦労していますが……。


また、剣道以外にもいくつか挑戦した習い事があります。

小学校五年生の頃には、野球チームに加わったことも。

ある日曜日、友達が所属する野球チームの試合を観戦し、彼らが円陣を組んでいる姿を見て、「これは楽しそうだ」と感じたのです。

剣道の稽古があったりしたため、野球に打ち込むことはそこまでできませんでしたが、一時期は野球の世界にも身を置きました。


中学校に入学すると、剣道部がなかったため、代わりに卓球部に入部しました。

その理由には、入れ替わりで卒業した兄が卓球部に入っていたこと、そして母が若い頃に卓球をしていたという背景があります。

我が家には地下に倉庫があり、そこには家族で遊べる卓球台が置かれていて、実際にみんなで卓球を楽しんだこともあり、それが私の卓球への関心を高める一因となったのです。

大会前には母に特訓してもらったこともありました。


剣道に関しては、中学校に部活がなかったため、週に三回程度、卓球部の練習が終わった後、これまで通っていた道場へと通っていました。


また、実家の近くにはスキー界隈では有名な小樽天狗山スキー場があり、車で五分くらいで行ける距離でした。

友人と一緒に冬休みにはスキー学校に通い、ＳＡＪ（全日本スキー連盟）の一級もなんとか取得しました。

東京に出てからはめっきりスキーをする機会も減りましたが……。

●働く両親の姿を見て育った

働いている両親の姿に関する思い出は、私にとってかけがえのない財産でしょう。実家が薬局を営んでいたため、学校から家に帰ると店が開いており、そこで働く両親の姿を目の当たりにしていたのです。

あとになって感じたのですが、この経験が「働く」という意味を深く理解する上で非常に重要でした。

一般的なサラリーマン家庭とは異なり、家の中でも仕事が行われている環境で育ったことで、仕事に対する視野が広がったのです。

ある早朝、喉の渇きを覚えて目が覚め、台所に水を飲みに行った際、母が経理の仕事をしている姿を目にしました。

そのような日常の一コマが、のちに経済産業省に就職した際に、仕事に対する心構えや働き方といった点で大きな助けとなりました。

両親が店を切り盛りしている姿は、私にとって身近ながらも大きな影響を受けたといえます。


実家の薬局は常に繁盛しており、特売日などは特に忙しさが増します。

当時は実家の薬局の周りにもスーパーや個人商店などがあり活況としていました。

その中でも実家の薬局は母の人柄もあり、地元で非常に人気のある店舗として知られていました。

店に訪れるお客様たちの姿は今も鮮明に覚えているくらいです。


そんな忙しい日々でしたが、私の母はまさにスーパーマンのような人でした。

近所の人々からも、そのパワフルさと優しさで非常に評価されていました。

朝早くから近くの公園の花の整備をしたり、私たち三人の子どものために食事を作り、仕事をし、子どもの剣道の送り迎えをこなし、週末には剣道の試合にも連れて行ってくれました。

時には片道二〜三時間かけて遠出をしてくれることもあり、平日の仕事で疲れていたでしょうが、そのエネルギッシュさは今、改めて驚かされます。

自営業の家庭では、子どもと過ごす時間が限られがちだとよく聞きますが、私の家庭はそうではありませんでした。

我が家は割と頻繁に家族との時間を作ってくれました。

両親は時間の使い方がうまかったのでしょう。

日曜日に札幌のデパートに家族で行き、おもちゃ売り場で子供達は遊び、両親は喫茶店でコーヒーを飲みながら待っている、といったこともしてくれました。

一九八五年に茨城県で開催されたつくば万博の際も、叔父（母方の弟）が茨城県にいたこともあり、家族みんなで行った記憶がありますし、その点はすこし他の自営業の方とは違うのかもしれません。

●東大を目指すようになった理由

中学校時代の成績は、常に学年で上位に位置していました。

上から数えて五番以内に入ることが多かった記憶があります。

公文式以外には、元高校教師の英語の個人塾に通っており、その塾も公文式と同様、生徒の学力に合わせて進んでいくというシステムだったので、一～二学年先の教材に取り組んでいたからだと思います。

ちなみに公文式は高校生まで通っていたのですが、高校後半には採点する先生が私が取り組んでいた理系の問題まで対応が難しくなったこともありやめましたが、公文式を続けたことが私の学力の基礎になったことは間違いない事実だと思っています。

高校に入学して最初の実力テスト。

小樽市内の優秀な同級生が集まった中で上位に入るのは難しいと思っていたのですが、予想以上の成績を取ることができ、「自分でもこの成績ならなんとかなるかもしれない」と感じ始めました。

そして、高校一年生の終わりに行われた実力テストでトップを取り、この時に「自分は東大を受けることができるかも！」と思いました。

その後、高校三年生になるまで、実力テストでは大体一番か二番を争う結果を残しました。

私が東京大学を目指した大きな理由は、同じ高校に通っていた兄を超えたいという思いがあったからです。

私が高校に入学した年に、兄は北海道大学に入学しました。

「兄以上の大学に行きたい」という思いは、私の大きなモチベーションとなったのです。

併せて、兄の学年の人が東大に受かり、その方はいつも実力テストでほぼトップでした。

それが、「実力テストで一位をとると東大を受験できる免罪符を得られる」という自分にとっての大きな基準となっていました。

なお、その方は国土交通省に入省されており、私が国土交通省に出向した時にお会いするという縁もいただきました。

北海道を出ることに対する強い願望は特になかったのですが、兄を超えたいという気持ちは強く、それが大きな目標の一つでした。

東大を本格的に志望するようになってからは、小樽という地方にいる私にとって、どのように情報を得るかというのが一番の課題でした。

たまたま、小樽の書店で東大の合格体験記があり、その関連書籍を買いあさり、そこに書かれている勉強法をひたすら研究しました。

この研究を踏まえて、東大合格者が使用していた参考書をほぼ取り寄せて、それで勉強に励んだのです。

参考書の選び方や使い方、そしてどの時期にどのような勉強をするかを徹底的に分析し、自分に合った参考書を繰り返し取り組むという勉強は、大きな成果をもたらしたといえるでしょう。

●練習メニューを部員たちで考案した高校時代

高校時代も変わらず剣道を続けています。

高校には剣道部がありましたが、剣道経験者の顧問がいなかったため、練習メニューは学年問わず部員のみんなで協力し合いながら考え、週二～三回、高校で稽古しました。

それに加え、これまで通っていた地元の道場で週三ペースで稽古に励んでいました。

このようにして、高校時代には小樽代表として全道大会に出場するなど、剣道での多くの経験を積むことができました。

北海道のインターハイ予選にも参加し、そこでの試合も非常に貴重な体験となりました。とはいえ、特別に強い剣士だったわけではありません。

剣道を続けていたモチベーションについて振り返ると、姉も剣道を続けていたこと、そして地元の道場や学校での先輩、同級生、そして後輩も剣道を続けていたことが大きかったと思います。

彼らと一緒に稽古を重ねる中で、剣道を続けることに対する疑問は一切抱かず、自然とその流れで剣道に没頭していくことになりました。

剣道は私の高校生活の中でも中心的な役割を果たし、多くの思い出と経験を提供してくれたのです。

●定まらなかった将来の展望

将来に対する具体的な夢は、私にとって長らく遠いものでした。

兄がいたことから、家業は兄が継ぐのかなあと漠然と考えており、私自身は特にこれをやりたい、という確固たるものはなかったです。

たしかに、両親のように薬学部に進学することには少なからず関心があったものの、それが具体的な将来の夢として固まっていたわけではありません。

「将来の夢」という大それたものに対して、特に深く考えることもなく、毎日を送っていたのです。

もちろん東京への憧れも特に持っていなかったため、自分の将来に対してはあまり具体的な計画を持ち合わせていなかったといえます。

しかし、「東大に行きたい」という目標が私の心に芽生え始めてからは違います。

それからは、私の頭の中はほぼ「いかにして東大に合格するか」という一点に集中していました。

ですが、東大に入学するためにはどのように勉強すべきか、その方法について考え抜いたものの、合格した後のことまではほとんど思い描いていませんでした。

両親からも、「家を継いでほしい」というような話は特にされたことがなく、将来について特定の方向を押し付けられた記憶もありません。

両親は私が自分の道を見つけることを尊重してくれていたようで、それに対しては感謝の気持ちでいっぱいです。

●受験は東大のみ

「早稲田や慶応を受ける時間がもったいない」

大学入試では、他の大学は一切受験しないという決断をしました。

東大を受験するなら早稲田大学や慶應義塾大学のような難関私立大学と併願することが多いと思いますが、私立大の受験日は国公立大学の前期試験よりも二〜三週間前に行われます。東京で数週間もホテル住まいするのはお金もかかるし体調を崩してしまいそうだなと思ったことと、他の大学に挑戦する時間があるならば、それを東大一本に絞って費やす方が遥かに有意義だと感じたからです。

加えて、傾向が異なる他の大学の試験を受けるよりも、東大模試の復習やZ会の東大専科の問題を繰り返し取り組む方が、合格率を高める上でずっと効果的だろうと考えたわけです。

「落ちたらどうするつもりだったの？」

と思われたかもしれませんが、その時は落ちた場合のことなど、考える余裕はまったくありません。

ひたすら東大に合格するためだけの勉強に集中していました。

東大試験の二日前に飛行機で東京へと向かいました。

宿泊場所である旅館鳳明館のある本郷三丁目駅を降りて大通りに出た瞬間、排気ガスで景色がぼやけているのを見て、

「ゴホゴホ、俺はこんなとこに住むのか」

と思ったのを鮮明に覚えています。

北海道の澄み切った空気から、一転して排気ガスが充満する環境へ。

ちなみにそれまでは、先述したつくば万博に行く前に、東京ディズニーランドを訪れた際に少し立ち寄った程度で、東京にはほとんど来たことがありませんでした。


その宿泊した旅館に関して、二つ思い出があります。

一つ目は、受験の前年一一月頃に母が仕事で東京へ出張をしたのですが、そのときにこの旅館と、さらには東大入学後に私が住む学生会館までも決めてきたのです。

その学生会館は、作家の菊池寛氏を記念して建てられた目白台学生ハイムというところで、東大の駒場と本郷の両キャンパスの中間である護国寺にありました。

母は「合格してから家を探すとなると良いところはすぐ埋まっちゃうから、予約だけでもしてきた」と平然と言っていましたが、センター試験もまだ終わっていないこの時期に、入学後の住む場所を決めてきたことに、今思うと「やっぱり母はパワフルだ」と感じずにいられません。

二つ目は、旅館に到着すると、入口に「歓迎　ラサール高校様」という看板が。私はたった一人で受験に来たのに、「東大合格常連校は、修学旅行のように学校単位で宿を取るのか」ととても驚きました。

東大の前期試験は二日間あるので、一日目の夕食時にラサール高校の人達と一緒だったら試験の出来を話し合っているのが耳に入ってくるのは嫌だな、と思ったのですが、部屋食だったので安心して過ごすことが出来た記憶もあります。

無事に東大に合格したとき、両親、そして兄と姉は言葉に尽くせないほど喜んでくれました。

私自身、初めての一人暮らしに不安を覚えつつも、「大学に入ったら何事にも積極的に挑戦したい」という気持ちに溢れていました。

第二章　大学院中退を経て経産省へ

●大学生活が始まって、まずやったこと

東大には、四月の入学式を前に、新しい生活をスタートさせるためのオリエンテーション合宿というイベントがありました。

これは三月の終わりごろに行われるもので、一学年上の先輩たちが、新入生同士がコミュニケーションをとるための活動をあれこれと企画してくれるのです。

山中湖で行われたこの合宿では、様々なレクリエーションを通じて、クラスメイトや先輩たちと仲良くなることもでき、楽しく大学生活の第一歩を踏み出すことができました。

大学生活が始まってから、私はクラスメイトたちに、

「なんで東大に入ったの？」

と積極的に尋ね回っていました。

私自身は兄を超えたいという気持ちと、そして学校内の実力テストで東大を受験できる免罪符を得ることが出来たという理由でしたが、他の人たちはどういう動機で東大を目指

したのか、知りたかったのです。

この質問を通じて、私が驚愕した事実があります。

それは、「周りが受験するから」という理由で東大を志望していた同級生が多かったのです。

特に開成や灘、ラサール、桜蔭といった有名校出身者たちは、この理由を多く挙げていました。

これが意味するのは、彼ら自身が意識していなかったとしても、刺激的な環境の中に身を置くことで、知らない間に自らの能力を日々向上させることが出来ていたということ。

私はこの時、「人間は環境によって形成されるのだ」と学びました。

「環境が人を作るって、こういうことなんだ」

この認識が、鮮明に脳裏に焼き付けられたのです。

後でまたお話ししますが、私自身も、東大だからこそ周囲に官僚を目指す学生や官僚になった先輩が多かったため、自然と官僚への道も一つの選択肢だと意識するようになりました。

もし他の大学に進学していたら、私の人生の進路も大きく異なっていたでしょう。

他にも数多くの刺激を受けていますが、東大という環境が私に与えた影響は計り知れません。

環境が人を作るという真実を私は東大で学び、自分の人生に深く刻み込んだのです。

●語学授業の新たな試み

私は第二外国語は中国語を選択しました。

そんな語学の最初の授業でのこと。

多くの授業は選択制のため、クラスといってもなかなか全員が集まることはありません。

ですが、東大は第二外国語毎にクラスが割り振られていたため、語学の授業というのはクラスみんなで同じ時間を共有する貴重な機会。

そんな語学の第一回目の授業が始まる前、私は何となく思いつきでクラスメイトたちに、

「先生が入ってきたら、高校みたいに起立・礼・着席ってやるなんてどう？　おもしろくない？」

と提案しました。

この発言が意外にも受け入れられ、みんなそのアイデアに乗り気になってくれたのです。

そして、実際に先生が教室に入ってこられたとき、私が、

「起立！　礼！　着席！」

と声を出し、クラスメイトはみんな同じ行動をとりました。

このシーンはまるで映画の一コマのように、クラス全体が一体となった瞬間でした。

先生は非常に驚かれた様子で、

「私は駒場で何年も授業を担当していますが、こんなことは初めてです」

と仰っていました。

さらに先生はユーモアを交えながら、

「ただし、ここは中国語の授業です。なので、次回からは中国語での号令をしてみてください」

という新たな提案をしてくださったのです。

そこで、

「起立（チーリー）！　老師好（ラオシーハオ）！」

という言葉を教えていただき、それが語学の授業における新しい挨拶となりました。

この出来事がきっかけで、私は毎回の授業開始時に号令をかける役割を担うことに。

それはある種の責任感を伴うものでしたが、クラスメイトとの絆を深める貴重な経験ともなりました。

●剣友会から剣道部へ

大学時代の部活動に関する話をします。

大学でもやっぱり剣道をやろうと思い、最初は体育会系の部活である剣道部の公開練習に足を運びました。

そのまま入部して続けようと考えていたのですが、実は私の姉が当時、東京女子大学に通っており、その大学には剣道部や剣道サークルが存在しなかったため、姉は東大の剣道サークルである東大剣友会に参加していたのです。

そんな姉から、「こっちのサークルの練習にも一度でいいからおいでよ」と誘われ、私はその誘いを受けて剣友会の稽古に参加、そのまま入会することにしました。

剣道部は週に六日の練習がありますが、剣友会は週に三日程度。

しばらくはそのペースで活動していたものの、徐々に自分の中で「なんか中途半端だな」と感じ始めました。

もっと稽古したいと考えるようになってきたのです。

ただ、剣友会ではそこまでの稽古環境を求めるのは難しい状況。

そんなことに悩んでいたある日、駒場での授業に向かう途中で、剣道部の同級生に偶然出会い、「稽古しているの？」などのたわいのない会話をしました。

これがきっかけで、剣道部に入部し直したい、という思いが強くなりました。

また、東大剣道部は、試合になると白の剣道着と白の袴、そして赤胴（白白赤胴と呼ばれていました）で出場するという特徴がありました。

これは学生剣道の中では特に有名で、私の小樽時代の先生からも入学時に、「東大に入って、白白赤胴で日本武道館で試合できるように頑張れ」と励ましてくれていました。

その言葉を思い出し、一層「剣道にもっと本気で打ち込みたい」と強く思うようになり、大学一年の一〇月に、剣友会を辞めて剣道部に改めて入部したのです。

剣友会のメンバーとは仲良く、今でも交流がある方もいますが、他大学の女子などもおり、いろんな人が集まるコミュニティでは、所属するメンバーの考えや状況に周囲が合わせる必要があるのは、どの組織においても避けられないこと。

なので、剣友会には剣友会の良さがあります。

ですが、私はより厳しい環境の中で剣道に取り組みたくなったのです。

剣道部の部員数は、一学年に約一〇人で合計四〇人程度。

そんな剣道部では先輩のみならずOBや警視庁からいらしていた師範やコーチ、他大学の剣道部など、様々な人との出会いがあり、それぞれが私の剣道に対する姿勢や考え方に大きな影響を与えてくれたのはもちろん、進路や就職においても多大な影響がありました。

当時の剣道部は水曜日の稽古後には必ず飲み会が開かれていました。

当時、本郷三丁目にあった居酒屋「白糸」が定例の居酒屋で、一年生の頃は先輩方への注文取りなど緊張の場面も多くありましたが、先輩、後輩のみならず、OBの方も時には参加され、剣道論からくだらない話までしながら楽しい時間を過ごしたものです。

今はもうその居酒屋はありませんが、その時の思い出は今でも私の心に深く刻まれています。

私は、剣道部では主務、副務を務めました。いわゆる運営全体をとりまとめる総務部長的な業務ですが、練習日程の調整や師範・コーチ・ＯＢへの連絡や、練習試合や大会の企画・調整などを行っていました。

また、当時の剣道部には、飲み会部長の役職があり、定例の居酒屋の名前にちなんで「白糸部長」と呼ばれていました。

お酒をよく飲む部員を一学年上の白糸部長が指名する、という感じだったと記憶していますが、私は大学四年生の時にこの役職を務めました。

この役職は飲み会の進行を仕切ったり、会計対応をしたりしました。

このような剣道部でのさまざまな役職の経験は、就職してからも大変役に立つものでした。

●大学時代の多彩なアルバイト経験

大学時代は、いくつかアルバイトを経験しました。

最初にやったのは家庭教師。

母の知人から「友達の子どもの勉強を見てもらえないか？」と声をかけられたのがきっ

かけで勉強を教える機会を得ました。

また、ファストフードのモスバーガーでもアルバイトをしました。

小樽ではファストフード店が限られており、高校時代まではハンバーガーといえばモスバーガーとロッテリアの二つしかなく、私はモスバーガーが大好きでよく食べていました。

そんな理由でモスバーガーで働いていたのですが、私が働いていた東池袋店は、土地柄か大変忙しい店舗でした。

ただ、モスバーガーではキャッシャー（レジ担当）、セッター（ハンバーガー作り担当）など経験に応じて様々な仕事を担当する機会があり、想像以上に楽しく、多くのことを学ぶことができました。

特に、私は勝手に「モスバーガー理論」と呼んでいるのですが、同時に複数のタスクを処理することをここで学びました。

例えば、ハンバーガー、ポテト、ホットドックの注文が同時に入った際に、ハンバーガーを作ってからポテト、ホットドックを順番に作るのではなく、ハンバーガーを作るのと同時並行でポテトを揚げたり、ホットドックのパンを温めたりして、全ての商品を同時にお客様にお出しできるようにする、といったものです。

ほかにも、引っ越し、ホテルやデパートのイベント会場の設営・撤収、ポスティングなどの日雇いのアルバイトも多数経験したのですが、こうして稼いだお金のほとんどは、飲み代や剣道具、当時遠距離恋愛をしていた彼女とのテレホンカード代（当時はまだ携帯電話が普及しておらず、ＰＨＳが出始めた頃で、公衆電話から電話していました）で消えてしまいましたが。

大学時代のさまざまなアルバイト経験も、その一つ一つが今の私を形作る大切な要素となったといえるでしょう。

●涙しながら勉強して薬学部へ進学

東大では、一～二年生時の成績（平均点）で三年生時に進学する学部を選択する「進学振り分け制度」（進振り）があります。

人気のある学部・学科は平均点が高く、成績が良くないと選択肢が自然と狭まってしまいます。

東大に入学してからは、

「自分の限界は一体どこにあるのだろう？　東大の中でも通用するのだろうか？」

という疑問を抱きながら、学業に一生懸命に取り組んでいました。

私は、「やはり親と同じ学部に行きたい」と思うようになり、選んだのは「薬学部」でした。

薬学部は進振りでの平均点が高いことで知られていました。

薬学部への進級を果たすには、試験で相応に高い平均点を取る必要があったのです。

幸運なことに、私はその平均点をクリアすることができ、薬学部に進学することができました。

とはいえ、大学入学当初は勉強の内容が全く頭に入ってこなく、大学一年の夏休みには必死になって図書館で勉強する日々を送っていました。

それでもなお、理解するのが難しいことが多く、自宅であまりに理解出来ないことの悔しさで涙を流したことがあるほどです。

かなり恥ずかしい話ですが、そうした経験もありました。

もし、大学一年当初から剣道部に入っていたなら、ハードな練習と試合があったため、そこまで勉強に打ち込む時間を確保することはできず、薬学部に進学することもできなかったかもしれません。

そう考えると、最初は剣友会に入ったことによって、結果的に勉強に集中できる時間が取れたといえます。

●No Kendo, No Life

大学三年生となり、無事に希望していた薬学部に進学できたわけですが、当時の日々を振り返ると、本当に忙しい時期だったと感じます。

三年生になった瞬間から、私の生活は講義と実験で埋め尽くされました。朝から昼まで授業が続き、午後は夕方まで実験というのが日常のルーティン。平日はその繰り返しですから、想像以上の忙しさでした。

しかし、そのような日々であっても、剣道の稽古は欠かすことができません。部活は月曜と水曜が夜の六時から八時まで、火曜、木曜、金曜は夕方の時間帯、そして土曜日は午前中に稽古がありました。

実験と講義をこなしつつ、これらの稽古にもできる限り出席しなければなりません。さらに毎週土曜日の夕方からは、文京区の富坂上にある小石川西山道場という元教師の方が開かれた自宅兼道場において、子供たちに剣道を教えるアルバイトもしていたのです。おかげで、週四〜五回のペースで剣道をすることができました。

ちなみにこのアルバイトは、警視庁の剣道や柔道の道場がかつては富坂上にあり、警視庁の先生方が西山道場の子供達を指導していたのですが、警視庁の道場が新木場に移ることになり、警視庁の先生方が指導するのが難しくなったとのこと。

その時、警視庁からいらしていた東大剣道部の師範が、「ならば東大の学生に子供達の指導を手伝わせましょう」ということで始まったもの、と聞いたことがあります。

西山道場では、子供達への指導稽古の後、休憩を挟んで大人の方々との稽古もありました。

稽古が終わった後には道場の上にある研修室で飲み会があり、その日の稽古を録画したビデオを見ながら剣道談義に花を咲かせていたものです。

なお、剣道界では稽古後のこうした飲み会で、先生からのお話などを通じて剣道を学ぶ場として位置付けており、「第二道場」と称しています（つまり、二次会があると「第三道場」になります。時折、稽古よりも第二道場以降の時間の方が長くなりがちですが……）。

私は西山道場における第二道場の支払いは学生だったため免除という配慮をいただいていました。

そのため、稽古が出来るのみならず、好きなお酒を飲め、剣道談義もでき、さらにバイト代までいただけるという、まさに最高の環境でした。

十数年前に西山道場の先生も亡くなられ、道場だった土地はマンションになってしまったものの、西山道場出身者が集まり、今も文京区立茗台中学校で「小石川剣友会」という名前で毎週土曜日に稽古を続けています。

もちろん私も東京に住んでいたときは参加させていただいていました。

小樽に戻ってきてからは参加できていませんが、是非また稽古させていただきたい場所です。


厳しい学業の中でも、そして今現在もですが、剣道は私の生活の中で欠かせないもの。どうにか時間を作っては道場に足を運んでいます。

剣道をすることで疲れが取れ、竹刀を握るとなぜか元気が湧いてきます。

剣道は私にとって、ただの趣味を超えた存在であり、生活の一部。

「No Kendo, No Life」といっても過言ではありません。

常に私の心を豊かにしてくれるのです。

忙しくても決して剣道の時間を削ろうとは思わず、その時間が私にとってかけがえのないものであったことを、今でも強く感じています。

剣道部では、後輩、同級生、そして上級生、ＯＢともに非常に仲が良く、その関係は今に至るまで変わりません。

それは単なる旧友以上のもの。

未だに頻繁に連絡を取り合うほどの深い絆があります。

また、東大は定期戦を防衛大学、一橋大学、京都大学と行っていました。

それに加え、旧帝国大学と呼ばれる七つの大学、東京大学・京都大学・東北大学・九州大学・北海道大学・大阪大学・名古屋大学との間では、「全国七大学総合体育大会（通称：七帝戦）」という大会があり、剣道のみならず、様々な競技で腕を競い合っていました。

そこで出会った他大学の同級生たちともやはり、卒業後も良好な関係を築いています。

実は私の妻との出会いも、剣道が関係しているのです。

就職後も東京にいる七大学の同級生とは毎月のように集まって飲んでいました。そこにたまたま名古屋大学の同級生が、「女子は今回私だけだから、女子の友達を連れてくるね」といって参加した女性が妻でした。

私が住んでいた学生会館は大学二年の時に閉館になり、その後は豊島区の大塚に住んでいたのですが、妻も大塚出身とのことで付き合うこととなり、私は数年後、結婚したのです。

妻は剣道をしていませんので、剣道部に所属し、七大学の繋がりがなければ、妻との出会いもなかったでしょう。

●有機合成化学の研究室に配属

大学四年になると、有機合成化学の研究室に配属となりました。

これには明確な理由があります。

物理化学、有機化学、生物化学と学んでいく中で、有機合成化学が私にとって最も興味深く、面白い分野だと感じたからです。

また、剣道部の先輩が三九歳の若さで東大の教授になり、その研究室が有機合成化学系だったという点も大きな理由の一つです。

有機合成化学系の研究室は研究時間も長く厳しいことで有名でしたが、剣道部の先輩が教授であるため部活への参加は認めてもらいやすいだろうと感じたことから、私はその研究室を選びました。

大学四年時は、平日は朝八時半から夜一〇時まで、土曜日は一八時半までが拘束時間であり、ほぼ毎日研究室にいました。

加えて、幹事長という薬学部内での取りまとめ的な立ち位置にもなりました。

さらに部活動においても、先述したとおり、三年の時には副務、四年になると主務を務め、運営全体の取りまとめにも携わっていたのです。

もしかしたら、「忙しそう」と思われたかもしれません。

たしかに「忙しい、疲れたな」と思うことはありましたが、自分で選択した道であるため、その環境を前向きに捉えて取り組んでいました。

それよりも私の中で大切にしていたのは、「みんなが気分良く活動できる組織として機能していくにはどのようなことをすべきか」ということでした。

このように考え、行動することで、研究室、剣道部、同級生の皆に支えられながら、研究や部活動、学部内の役職など、さまざまな場面でバランスを取りながら充実した学生生活を送ることができたのです。

●真剣に将来を悩み始め、自問自答の繰り返し

このように忙しい日々を送ってはいたものの、私の心の中では少なからず疑問が生まれ始めていました。

理由を説明すると、「薬学部に進学すれば、創薬など、現場に近い実務的な学びができるのではないか」と期待していました。

しかしながら、私が実際の薬学部は、薬を作るための基礎科学に関する研究を行うとこ

ろ。

実際に入るまで、その学部の真の研究対象が私の想像していたものとは異なることに気づかず、自分の無知を嘆いたものです。


創薬に関連する科学として、薬学部には大きく物理化学系、有機化学系、生物化学系の研究室があり、それらの研究結果が複合して新しい薬が開発されます。

薬学部の研究に対するイメージとして、そうした各分野を総合的に研究する場と信じていたのです。


しかし、実際には、それぞれの分野をそれぞれの研究室が深く掘り下げていくという想像と異なる現実を前に、

「自分は薬学部に入った意味があるのだろうか？　今やっていることは、理学部と変わらないのではないか？」

と自問自答することが増えていきました。

今となれば、そうした各分野を総合的に行うことは極めて難しいことであるのは理解で

きるのですが、当時は自分の理解不足もあり、そのように強く思う日々を過ごしました。

●数点差で薬剤師国家試験不合格

一般的に、大学三年後半になると就職活動を開始するものですが、薬学部を含む理系の学生にとっては、大学院修士課程へ進学することが当たり前といった雰囲気がありました。そのため私も、「大学院にまずは行くでしょ」という周囲の流れに身を任せ、何となく院試を受けることに決めたのです。

また、大学四年の三月末、薬剤師国家試験を受けました。

当時の薬学部は、現在とは異なり、私が学生だった当時は六年制ではなく四年制で、薬剤師国家試験は三月末に設定されていました。

東大薬学部では、この試験の準備をするため、二月末から試験までの約一カ月間の特別な休みが与えられ、その期間は、卒業論文を書く代わりに、試験勉強に専念するよう指導されました。

薬剤師試験の勉強法について言えば、その核となるのは過去問題集を解きまくること。約一〇年分の過去問集は電話帳のような厚さがあり、そのため私たちの間ではこの過去問集を「電話帳」と呼んでいたくらいです。

休みの期間中にこれらを何度も繰り返し解きました。同様の問題が何度も出題されるため、「これらを完璧にマスターすれば、合格できる」といわれていたのです。

しかし、私自身はわずか数点差で合格を逃すことに。言い訳がましいかもしれませんが、当時私は「爆笑オンエアバトル」というお笑い番組に夢中になっていました。

この番組は土曜日の深夜に放送されており、年度末である三月は年間チャンピオンを決めるべくグランドチャンピオン大会というこの番組の一大イベントが放送される時期だったのです。

薬剤師試験は土・日と二日続いていました。

普通なら土曜の試験を終え、日曜の試験の対策を軽くやって早めに就寝するでしょう。

ですが私は、一日目が終わった夜、私の家に来ていた友人と一緒にこの番組を最後まで見てしまったのです。

しかも、それだけでなく、試験前日の金曜日にはいつもどおり剣道の稽古にも参加を。

正直、薬剤師国家試験を舐めていたと思います。

これらは良くない選択だったと反省しています。

そして、その結果が数点差での不合格という結果になったのです。

ちなみに、一緒に爆笑オンエアバトルを見ていた友達は見事合格しました。

●人生のどん底時代

薬剤師国家試験には受からなかったものの、東京大学大学院薬学系研究科に進学しました。

このとき、私は自分に対して、「もっと一生懸命努力しなければならない」と心に誓いました。

研究に対する情熱を新たにし、もう一度、真剣に取り組もうと決めたのです。

とはいえ、私が人生で最も苦しんだ時期もこのころ。

大学院に進学したことで、大学の部活動は引退となり、日常的に稽古できない状況になりました。

もちろん、その代わりに研究に集中し、しっかり取り組まなければならないという重圧があったのですが、私はなかなかストレスを発散する方法を見つけられずにいたのです。

さらに、薬学を専攻して実際に研究を進めていく上で、「やはりこれは理学部に所属していることと変わらない、薬学部に入学した意味があるのだろうか」と自問自答するようになりました。

このような思考が頭を巡るなかで、私は研究の方向性について深く悩み始めたのです。

この後、私は大学院を休学するのですが、そのときは誰にも相談することなく一人で決めて、行動に移しました。

実は、大学四年の後半に、大学院から研究室を変わりたいと思い、同級生にも相談した上で教授にもお話したのですが、結局は大学院も同じ研究室に所属することにしました。

この時の行動は、今思うと甘い考えだったと反省しています。

特に、誰かに「何かをやめたい」と相談している時は、まだ心のどこかで「引き止めてほしい」という気持ちがあったのかもしれません。

誰かに相談するときは、自分の進んでいる道に自信を持てずにいたため、

「あなたが今歩いている道は間違っていないよ」

という言葉をもらい、自分の選択が正しいという確証が欲しかったのでは、と今になり感じています。

そんなこともあり、当時は苦しみながら悶々とした日々を送っていたのです。

●進む道を模索する

今後の人生を模索する中、官僚という職業が頭に浮かびました。

実際、研究を続けることによる迷いや、毎日実験室にこもってフラスコを見つめる日々が精神的に辛くなっていたことも否めません。

私は元々、様々な人と様々な議論を行い、コミュニケーションを取りながら何かを作り上げていくことに喜びを感じるタイプ。

人々との議論や協働を通じて、物事をまとめ上げることに苦痛を感じたことはありませんでした。

そういった自己分析もあって、この職業が頭をよぎったのです。

「この道であれば、私の好きな人とのコミュニケーションを通じて、意味ある仕事に取り組めるはず。薬事行政を担当する厚生労働省に入りたい」

官僚への道は、私にとって魅力的な選択肢の一つとなりました。

この考えは、官僚になる、又は官僚を目指す人が多い東大という環境にいたという背景が影響しています。

現在は東大から官僚を志望する人が減っていると言われていますが、当時はまだ多く、このような環境に身を置いていたことが、自然と自分にも官僚という道が思い浮かぶことに繋がったと言えるでしょう。

ここで大学一年の時に理解した「環境が人を作る」という考えを再び強く感じました。

こうして、修士課程一年になり、私は「公務員試験を受けたいです」と教授に相談し、一週間の休みをもらって国家公務員試験に挑戦しました。

しかし、結果は不合格。

薬剤師国家試験にも落ち、国家公務員試験にも落ちたことで、「こんな中途半端な姿勢ではダメなんだ」と痛感しました。

そこで、「これからは今まで以上に真剣に研究に取り組もう」と決意したのです。

●二つの出来事

研究室では、日々の実験やその結果の検証に没頭。

併せて、研究室では毎週一回、発表者が興味深いと感じた論文の内容を発表する抄読会もあり、その勉強にも取り組みました。

修士課程一年の夏休み期間は、国家公務員試験で一週間休みをいただいたこともあり、ほぼ毎日研究室に通い、実験に打ち込みました。

自分が担当した秋頃の抄読会では、私のプレゼンテーションが非常にうまくいき、教授からも「非常に分かりやすかった」と評価いただいたこともありました。

しかし、そのわずか一週間後。

その週の抄読会での先輩の発表の時、ある化学反応を進める上での効率的な触媒は何かという議論が起こった際、私は良いアイデアがまったく浮かばず、苦悩していました。

その時、別の先輩から、

「いやいや、土屋君の先週の発表に基づいた試薬を使えばいいんだよ」

という提案された時、

「先週しっかり学んだはずなのに、なぜその応用が浮かばないんだ？　私にはやはり研究者としての才能がないんだ……」

と、自分の限界を感じたのです。

この経験から、自分には研究者としての適性がないのだと痛感しました。

ちょうどそのころ、自分にとって二つの大きな出来事が起こりました。

一つ目の出来事は、今となれば少し恥ずかしい理由ではありますが、その時付き合っていた彼女に別れを告げられたことです。

もう一つの出来事は、薬学部の同級生だった友人が自ら命を絶ったのです。

彼はボディビルに情熱を注ぎ、ユーモアのセンスもあり、真面目な一面も持ち合わせていました。

修士課程一年になったばかりのある日、彼と安田講堂の前のベンチで話す機会がたまた

まあった際、彼から、

「ツッチー、なぜ研究室変更しなかったの？　なんで？」

と質問をされました。

私は、研究室を変更できなかったことに対するもどかしさや恥ずかしさなど色々な感情が混ざり合わさった気持ちもあったので、彼からの問いにきちんと答えず、少しいらつきながら、

「難しかったんだ。色々あったんだよ」

と少し突き放したような答え方をしました。

その時の会話は、今も私の記憶に深く刻まれています。


彼がうつ病に苦しんでいたという話は耳にしていました。

研究室への出席が不安定であったことも知っていました。

そして、ある日、彼が亡くなったという悲報を聞いた時は、自ら命を絶ったという事実に深い悲しみを感じました。

私自身も様々な悩みを抱えていた時期。

鬱っぽい状態に陥っていて、ときには「もう死んでしまってもいいかな」とさえ考えることもありました。

そんなこともあったためか、彼の葬式で彼の遺影を見た瞬間、後から後から涙があふれ、嗚咽が止まらなくなったのです。

●全部やめてリセットを決断

「いったんやめよう」

二つの大きな出来事があり、色々と考えた結果、二〇〇一年一月、一度リセットするべきだと思いました。

このまま中途半端な気持ちでこの道を歩み続けても、前に進めないと感じたのです。

そして、薬剤師国家試験と国家公務員試験に集中することに決めました。

この決断をするまで、ずっとプライドが私の邪魔をしていました。

小樽の地方高校から日本一の難関大学である東大に現役合格し、部活をやりながら大学院にも現役で入学し、外から見れば順風満帆に見えるでしょう。

それゆえ、道を外れることの恐怖は、とてつもなく大きく、そのため決断に踏み切ることができませんでした。

今となれば、うすっぺらい一枚のプライドという皮だったかもしれませんが、それを打ち破る勇気が全く持てませんでした。

しかし、これら二つの出来事をきっかけに、大学院修士課程を休学しようという決断をするに至ったのです。


教授をはじめ、研究室の皆様には、本当に失礼なことをしたと反省しています。

この決断をしてから、研究室を無断欠席しました。

そのまま一週間が経過した頃、研究室の先輩から、

「教授もみんなも心配しているから、連絡をください」

という留守電が入っていました。

それを踏まえ、教授にお伺いしたい旨の連絡をし、研究室を訪れ、

「申し訳ございません。休学させてください」

と申し出たのです。

それからは薬剤師国家試験の勉強に集中しました。

爆笑オンエアバトルのグランドチャンピオン大会は幸いなことに試験の前の週だったため、試験当日への影響はありませんでした。

二〇〇一年四月、薬剤師国家試験に合格しました。

ただ、試験を受けている時は、問題を「解ける」、「解けない」の感触が昨年と同様だったため、「もしかしたらヤバいかも…」と冷や汗をかきながらの受験でした。

自己採点の結果は合格予想点よりも数点プラスで、薄氷を踏む思いの合格でした。

次は、国家公務員試験です。六月の一次試験に向けての勉強に取り組みました。

もし公務員試験が上手くいかなければ、別の研究室に移って薬剤師としての道を歩もうと考えていました。

この場合、同級生は二年間で修士課程を終えるところを、私は三年かけても構わないと決意していました。

とにかく、未来のことを過度に心配するのはやめようと思い、公務員試験にしっかりと集中することにしたのです。

とはいえ、勉強のみをやるより、適度にストレスを発散したほうがかえっていい結果が出るだろうと思い、二月から御茶ノ水のコンタクトレンズ販売店でアルバイトを週一～二回していました。

薬剤師業務は資格がないため無理なので、少しでも医療に関連する業務を経験してみたいと考え、自分が購入していた池袋のコンタクトレンズ販売店の募集を見て応募しました。

もちろん勉強とアルバイト以外に、剣道の稽古も週一回くらいのペースで再開しました。やはり剣道は私の生活に欠かせません。

●偶然見つけた一枚の張り紙

公務員試験に向けた勉強に集中するため、本郷キャンパス内の中央図書館や薬学部図書館で勉強をしていました（今思うと、休学している身でありながら薬学部図書館を使っていたのは大変ふてぶてしいことをしていたと思います……)。

その際、薬学部の掲示板に貼られている張り紙が目に留まります。

それは経済産業省の説明会への参加者を募集するものでした。

当時は厚生労働省に入省したいという強い思いがあったため、「絶対入ることはないだろうから、この機会に他の役所の説明会も聞いてみよう」とほとんど気分転換のつもりで参加することにしました。

この選択が私の人生を大きく動かします。

その説明会は、実際に経済産業省の政策を作る現場を体験するという内容。

一〇人くらいの学生が集まり、経産省職員の方がある一つのテーマを提示し、学生同士で議論しながら、政策立案過程を実際に体験してみようというものでした。

「服装は自由です」と案内に書いてあったので、タートルネックにデニムという私服で会場に到着しました。

すると、私以外の全員がスーツ姿。

「あ、これは就職活動の一環なんだ」とその時に気がつきましたが、時すでに遅し。

「ま、経産省に入ることはないだろうから気にしないでおこう」と気楽に参加することにし、そこで自由気ままに意見を述べました。


この時は「中小企業政策」がテーマだったのですが、賢そうな学生が、言葉は悪いですがきれいごとを言っていたので、私は思わず、

「うちの実家は薬局を経営しているから中小企業だけど、あなたがおっしゃったようなコストをかけられるわけがない。仮に国が補助を出すにしても、すべての中小企業に補助を出すことは財政的にも難しいし、日本は破綻してしまうんではないですか」

といったような反対意見を述べました。

この時、経産省の職員の方が笑いながら私の話を聞いていたのが目に入りました。


このような正直な発言が何らかの形で注目されたのかもしれません。

「もう二度と経産省に来ることはないだろうな」と家路につきメールを見ると、経産省から「本日はご参加ありがとうございました。次回は別のテーマで参加してみませんか」と

の連絡が入っていました。

たしか「環境政策」のテーマの回に参加し、前回と同様、気楽な気持ちで参加し、自由奔放に発言してきました。

なお、その時は前回を教訓に、きちんとスーツを着用していきました。

この二回の説明会が、後の官庁訪問へとつながっていくことになったのです。

いずれにしても、この説明会に参加していなければ、今の私の人生は全く異なるものになっていたでしょう。

経済産業省に入ることなど、当初は考えてもみなかったのですから。

●想像していなかった展開

二〇〇一年六月、国家公務員試験の一次試験に合格することができました。

現在は二次試験まで合格しないと官庁訪問できませんが、当時は一次試験の合格発表後に官庁訪問が始まりました。

私の心はすでに厚生労働省に向かっています。

だからこそ、官庁訪問初日の朝九時に厚生労働省薬系技官の面接の予約をとり、喜び勇んでいの一番で厚生労働省を訪問しました。

官庁訪問の際は、人事担当との面談後、「原課訪問」を行います。

これは各担当課を訪れ、そこで働く人々から仕事の実情について話を聞くというもの。

私はその日、二つの課を訪問し、それぞれの課で一時間ずつ話を伺いました。

その後、人事担当者との面談の際、衝撃的なことを言われました。

「あれっ、君の履歴書を見ると、修士課程を休学中なんだね。もしうちに合格したら、どうするつもり？」

という質問に、

「退学してここで働きます。修士号は取りません」

と答えました。

すると、

「大学院中退の人には興味がないんですよね。今の時代、理系職には修士号がないと難しいよ」

との返答。

おもわず「まじで!?」と叫びかけたくらいです。

修士号を取得する予定のない私には、厚生労働省に内定をもらうことは極めて難しいという現実……。

「やるべきことがなくなった……」

想像していなかった展開に、ただただ落胆しました。

●経産省からの電話

厚生労働省への道が閉ざされ、大学院に戻る以外に選択肢がないんだ、と絶望しました。

厚生労働省を出てから、失意のどん底で大学に行きましたが、休学中のため自分の所属していた研究室を訪れることはできません。

そこで、別の研究室の親しい先生の元を訪ね、事情を話したところ、「じゃあ、今夜飲みに行こう！」とお誘いいただきました。

その研究室に所属していた同級生も加えて三人で、夕方五時半から居酒屋（定番の白糸）に行ってお酒を飲みながら相談をしました。

「厚生労働省で薬事行政をやりたい！」という道が断たれたので、もう選択肢がないと思い込んでいました。

しばらく飲みながら慰めてもらっていたところ、私の携帯電話が鳴り出します。

電話相手は経済産業省。

電話では、

「一次試験は合格しましたか？」

「はい、合格しました」

「それはおめでとうございます。ところで、今日が官庁訪問の初日だったんですが、私たちのところには来ていませんよね。明日、ぜひ、経済産業省の官庁訪問を受けに来てみませんか」

と言われました。

実は、前に参加した説明会で経済産業省に向いている学生をリストアップしていたらしく、その中に私の名前もあったようです。

自分としてはなんとも判断ができず、

「どうしたらいい？」

と同級生に尋ねたところ、同級生から、

「ツッチー、行ったほうがいい」

と背中を押され、翌日の経済産業省への訪問を決意しました。


もしもその先生に飲みに誘ってもらっていなかったら、また、同級生が「行く気ないならやめておけば？」という意見だったら、きっと経済産業省への官庁訪問には行っていなかったでしょう。

その先生と同級生の後押しで新たな一歩を踏み出すことができたのです。

●経産省へ官庁訪問

経済産業省に官庁訪問することになりましたが、二月に参加した説明会以外の予備知識は全くといってよいほどありませんでした。

強いて言うならば、大学二年くらいの時だったでしょうか、東大剣道部の土曜日の稽古に経産省剣道部（当時は通商産業省でした）の先輩方が参加されたことがありました。

この時、先輩方に稽古をいただきながら、

「ああ、そういえば高校時代、『橋本龍太郎元総理が通商産業省剣道部の稽古に参加した』というニュースを見たことがあるな。剣道が出来る環境なんだな」

と思ったことを思い出したくらいです。

経産省への官庁訪問初日は、朝の九時くらいに集合し、人事担当の方と面談した後、いくつかの課をまわって様々な人たちからお話を伺い、夕方六時頃に終わりました。

経産省の官庁訪問は一日置きに実施され、二日目に経産省を訪れた際には、まるでテス

トのように、

「君の関心があることを一〇個言ってみて」

と突然言われ、

「え、一〇個もですか？」

と驚いて聞き返してしまいました。

「そんなに多くのことに関心持っていないのとダメなのか……」

と思いながら、なんとか一〇個答えたことを覚えています。


三日目も、経産省に朝九時ごろに行き、最初に人事担当者のYさんと話をした時、

「君も今日で三日目だから、これまでの官庁訪問を通じて経産省で何をやりたいのか話してごらん」

と言われました。

しかしながら、何の予備知識もなく、そもそも経産省についても深く調べていなかった私の答えは、これまでの二日間の面接を通じて得た上っ面の知識と当たり障りのないことばかり。

するとと突然Yさんから、

「違うんだよな、君の考えは！　まだ薬に未練があるのか。君の額には薬に対する『未練』と書かれている！　今日の面接はこれで終わりにするから、薬をやりたいのか、経済をやりたいのかを考えて、明日また来い！」

と言われ、放り出されてしまったのです。

額に未練と書かれている、と言われたときは、

「キン肉マンの肉マークじゃないんだから……」

と思ったものです。

外に出たら、まだ朝の一〇時前でした。


本当にどうしていいか分からず、家に帰って、

「自分は何がしたいんだろう……。経済についてなんて何の勉強もしてこなかったし、こうしたいというものも特にはない。薬屋の息子なんだから、薬に関することが自分にとっての幹になって、それから枝葉に分かれて色々なことに興味を持ってきたから、それを忘

れろと言われてもな……。薬に未練があると言われても、薬を忘れるなんてそもそも無理だ……」

などと逡巡しつつ、一晩ほとんど寝ずに考えました。

そして明け方に出した結論は、

「中途半端な気持ちで官庁訪問を続けるべきではない。官庁訪問をやめよう」

というものだったのです。

翌朝、経産省に行ったところ、Yさんではなく他の若い人事担当の方との面談になりました。

その方は昨日のYさんが私に言ったことは何もご存じなかったようで、

「じゃ、今日はどこの課の話を聞いてみたい？」

と何事もなかったように、普通に官庁訪問を進めようとされたのです。

私は、その方に昨日Yさんに言われたこと、それを踏まえて考えた結果として、経産省の官庁訪問をやめようと思っていることを正直に伝えました。

するとその方は、

「う～ん……多分Ｙさんはそういうことを伝えたかったのではないはずだよ。Ｙさんに会えるように調整するから、少し待ってて」

とのことで、待合室で待つことになりました。

のちに役所に入って分かったのですが、Ｙさんはまさに採用のとりまとめをしている秘書課の筆頭補佐の方。

官庁訪問期間中は特に忙しいため、タイトなスケジュールの中、私のようなイレギュラーな学生の対応に時間を割くのは、大変なことだったはずです。


しばらくすると、Ｙさんがいる面談室に案内されました。

Ｙさんは、

「なんだって？　官庁訪問やめたいんだって？」

と一言。

私からは、

「一晩ほとんど寝ずに考えましたが、薬を諦められないので、経産省の官庁訪問をやめたいと思います」

と伝えました。

すると、Ｙさんは

「いや、違うんだよな〜。そういうことじゃないだよ！　本当に官庁訪問をやめるかどうか、あと一時間あげる。今一〇時だろ。だから、一一時には戻って来なさい」

と、また放り出されてしまいました。

この経験が後に大きな転機となることは、その時はまだ知る由もありませんでした。

●挑戦と再起の物語

Ｙさんから思いがけない提案をされ、昨日以上に私の心の中は大きな不安と戸惑いでいっぱいになりました。

経産省本館を出て、「経済産業省」の看板がある近くの塀に腰を掛けて、

「どうしようか……」

そこでおもむろに、生まれて初めて父に頼ろうと、父の携帯に電話をしたのです。

これまで、悩むことがあれば母に相談したことはありましたが、なぜか分かりませんが、この時は父に相談したい、という思いが衝動的に出てきました。

父の言葉は、

「決めるのは自分自身だ。でも、そういうふうに言ってくれる人ってなかなかいないと思うぞ」

というシンプルなものでした。

シンプルではありましたが、この言葉は私にとても大きな勇気を与えてくれたのです。

「もう一度チャレンジしてみよう」

ほぼ一一時きっかりに待合室に戻り、少し待った後にYさんのいる面談室に案内されました。

Yさんは笑いながら、

「ほんとに一時間で戻ってきたんだって？」

と私に言いました。

私は心の中で、

「あなたが一時間で戻って来いって言ったんじゃないか」

なんて思いつつ、

「いろいろ考えましたが、経産省で働きたいです。もう一度面接をお願いします」

と、改めて自分の意志を伝えました。

「また考えが変わったな！」

とYさんからは笑われたものの、官庁訪問を続行できることになりました。

それから四日目の面接が終わり、五日目の面接。

競争もどんどん激化し、面接の参加者が次々と減っていき、お会いする方の役職も上がっていくのが分かりました。

そして、一六時くらいだったでしょうか、いつもより早い時間帯に、

「これが最後の面接です。採否は今日の二〇時に伝えるので、電話をしてきてください。それまで映画を観るなり何なり、自由にしていいから」

と告げられました。

就職活動の結果発表という今後の人生が決まる重要な日。

その時、高校の同級生が他の省庁の官庁訪問を受けるというので、北海道から上京し、私の家に泊まっていました。

その同級生が家にいる中、自宅で緊張しながら二〇時を待っていました。

いよいよ時間となり電話をかけると、

「まだ決まってないから二一時にもう一回電話してきて」

と言われ、少し拍子抜け。

さらに緊張したまま一時間待ち、二一時に再度電話をしたところ、Yさんに回され、Yさんから、

「ごめん、君は採れない」

との答え。

「自分よりもふさわしい人がいたと理解しました。分かりました」

と答え、電話を切ったあと、隣にいた同級生に、

「ごめん……飲みに行こうか」

と誘って飲みに出かけました。

大きなショックを受けたものの、頭の片隅には、

「もしかしたら経産省内定者の中に、国家公務員二次試験で落ちる人が出てくるかもしれない。そうしたらまたチャンスが回ってくるかもしれない。まだあきらめるのはよそう」

という淡い期待も持って、ひとまずは二次試験の勉強に励もうと決めました。

また、数日後に意外な展開がありました。

厚労省から、

「医薬局の五課長との面接があるから来ませんか？」

という電話がかかってきたのです。

厚労省の官庁訪問では塩対応をされたので、まさかの連絡に驚きましたが、経産省から本当に連絡が来るか分からない中、少しでも将来の選択肢は持っていた方がいいと考え、「行きます」と回答しました。

経産省での面接は非常に厳しかったですが、この経験を通じて学んだ面接のコツは、「如何に自分の伝えたいことを話し過ぎないか」ということでした。

具体的には、自分の考えは明確に伝えるものの小出しにするような形で発言することで、面接官の方が疑問を持ち、「どうしてそう考えたのですか」と質問をこちらに投げかけるきっかけを作る、というものです。

こうすることで、一方通行の伝達ではなく、面接官の方が自分の考えを聞いてくれる状況を作り出すことが出来るようになりました。

結果、面接官との対話のキャッチボールが活発になり、スムーズなコミュニケーションができるようになったのです。

こうした経験をフルに活用し、厚労省の面接は非常にリラックスしてのぞむことができました。

面接官の方々を時にはドカンドカン笑わせながら面接を進め、かなりいい評価を得ることができたのでは、という手応えを感じました。

●最後の面接

国家公務員二次試験が終わってしばらくしたころ。

Yさんから本当に電話がありました。

「二次試験はどうだったか？」

と聞かれ、私は、

「問題なく出来たと思います」

と答えました。

すると、Yさんから、

「そうか。実は経産省として、最後にもう一人、採用できることになった。最終面接で落とした四~五人から一人採用したいと思うけど、土屋君、面接に来るかい？」

と、淡い期待が本当になる驚きの言葉が。

もちろん「行きます！」と即答し、再び経産省で面接となりました。

当日、指定された部屋に入りました。この時、とても緊張していたことを覚えています。面接室に入る前、その部屋にはＹさんの他にも職員の方がいると思っていたのですが、驚いたことに、大きめの会議室にいたのはＹさんただ一人だけ。

Ｙさんは窓の外を見つめており、私が入室したことに気付くと振り返りながら冷静に話し始めます。

「おお、よく来たな。土屋君とはこれまでいろいろな話をしてきた。先に電話で話したとおり、もう一人だけ採用することができることになった。だから、今から最終面接を行いたい。具体的には二つの質問がある。まず、君の人となりについて話してほしい。そして、なぜ経済産業省に入省したいのか、その理由を教えてほしい。この二つだけだ。話しやすい方から話していいよ」

最初の質問に対しては、正直、何を話したのかほとんど覚えていません。

ですが、二番目の質問に対しては、私の考えを正直に伝えることができました。

「私は薬局の息子です。学部を選択できる東大に入学しましたが、結局は親の仕事に関係する薬に関わる仕事をしたいと考えて、薬学部に進学しました。研究室に入り、有機合成化学の研究に取り組む中で研究者に向かないと思い、厚生労働省で薬事行政に関わりたいと考えるようになりました。それまでは『薬局の息子だから、薬に関わっていなきゃいけないんだ』と思い込んでいたのです。それが経産省の面接を通じて、考えが変わっていきました」

私は続けました。

「これまでは創薬という観点からは、『薬を開発する』↓『薬を世に出す』↓『薬が使われる』と一方通行の流れしか考えていませんでした。しかしながら、経産省の面接を通じて、薬が人々に使われ、その結果として利益が生まれることで、新たな薬を開発する原資となる。これが『経済サイクル』だと気付いたのです。私は理系ですから、こうしたサイクルがあると、電流と磁界の右手の法則みたいに、ぐるぐる回るサイクルの中心を突き抜

図1

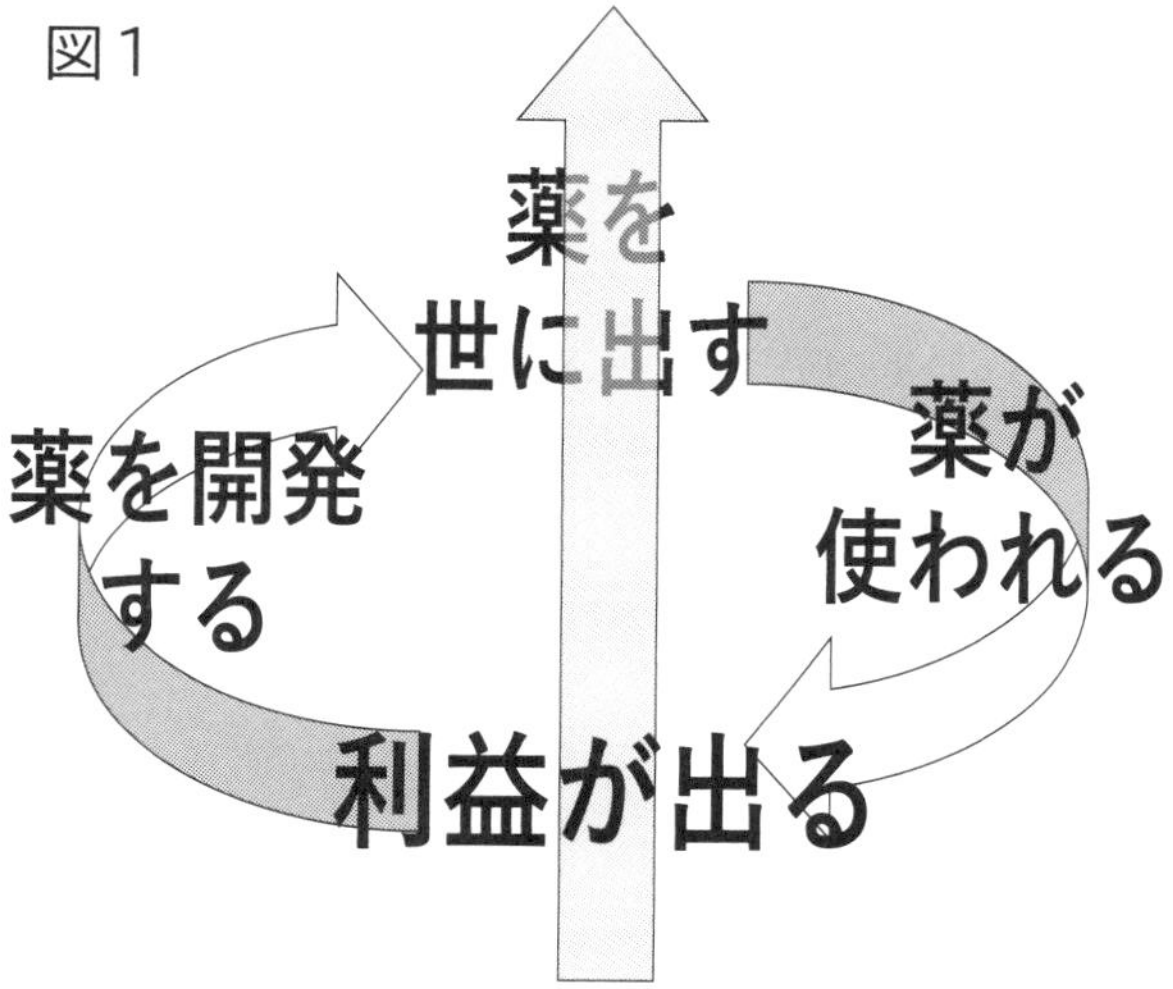

図2

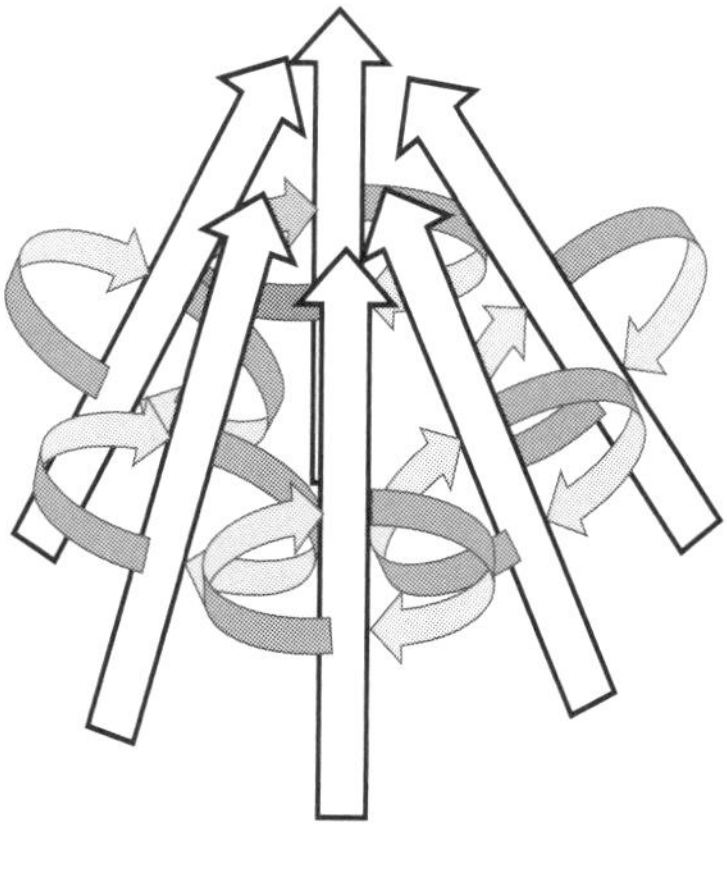

けるベクトル（図1）が頭に浮かびました。世の中には薬に限らず、あらゆる分野の経済サイクルそれぞれにこのようなベクトルがあるのではと考えるに至りました。経産省での面接を経て、私はこれまでの一方通行の考え方から、サイクルによって成り立つ経済の重要性を理解しました」

加えて、

「これらのベクトルの方向を円錐の形になるように一つに集約させる（図2）と、とても大きな力になり、その結果、日本の経済が豊かになれば、日本はもっと良くなるのではないか、そして、このようなことをできる役所は経済産業省しかない、と強く感じたのです」

さらに、

「先にお話ししたとおり、薬局の息子だから薬に関わることにこだわっていました。しかし、今は違います。まだ自分は若いのだから、薬に限らず、様々なことに取り組んでみることが重要だ、という考えに変わりました」

と語りました。

「経産省は、様々な分野に挑戦し、日本経済を豊かにする役割を担う組織です。これに加え、経産省は日本政府における『野党的与党』だと感じています。日本政府の中の一省庁という与党的な立場でありながら、日本が良くなるためには他省庁の所掌分野であったとしても野党のように遠慮なく意見を言い、変革を促していく。他の組織では言いにくいことも、日本のためにはっきりと述べるのが経産省の役割だと理解しました。だからこそ、経産省に入省し、私もその一員として頑張りたいと強く考えています」

このように志望動機を熱く語りました。

それまでは薬局の息子だから薬に関わってなきゃいけないし、関わっていたいと、ずっとこだわりがありました。

けれど、薬だけにこだわらなくてもいいとようやく気づけたのです。

官庁訪問におけるいろんな出来事を経て、自分の中で一皮むけた気がしました。

●新しい人生への第一歩

面接が終わって数日が経過したある日。

電話で、Ｙさんから「一緒に働こう」と告げられました。

この瞬間が、私の新しい人生の始まりとなりました。


余談ですが、厚労省については二次試験合格発表の翌日、経産省の内定式に向かおうとしていたところに、「うちでよかったんですよね」との電話をいただきましたが、経産省から内定をいただいたことを伝え、丁重に辞退させていただきました。

このようなことも、経産省に官庁訪問していなければなかったと思います。


長い間、薬に関わる道を目指してきましたが、面接を重ねる中で、必ずしも薬にこだわらなくても良いという新たな視点を持つようになりました。

薬に関わる職に固執することなく、広い視野を持つことの大切さを学んだのです。

この考えに至ったきっかけの一つは、やはりＹさんの存在です。


内定式の飲み会の際、Ｙさんに「僕は『君は採れない』と『一緒に働こう』の両方をＹ

さんから言われた唯一の人間ですよね！」と言った際、「君にはそれを一生言われるんだろうな」と言われたことを思い出します。

入省後、私は仕事上ではほとんど関わることがなかったものの、折々で私達の同期会にYさんが参加されていたこともあり、仲良くさせていただきました。


Yさんは十数年前に退職され家業を継がれましたが、数年前に筋萎縮性側索硬化症（ALS）が発症してしまい、現在は寝たきりの状態です。

今回、私が経産省を退職するにあたり、ご自宅を訪問し、色々とお話をさせていただき、私の新しい門出に対し、はなむけのお言葉をいただきました。

Yさんがいなければ、今の私はいないと言っても過言ではないです。


公務員内定者の中には、その年度の下半期（一〇月）から働きだす人もいるそうですが、私は薬剤師の資格も取得していましたし、経産省に入る以上、薬剤師として働くことはないだろうから、一度は親の仕事を体験してみたいと考え、薬剤師のパートを探し出し、そこで半年ほど働きました。

また、これまで海外に行ったこともなかったため、薬剤師のパートで稼いだお金で海外行ってみよう、そして、その時なぜかエアーズロックに登ってみたいと思い、二〇〇二年二月末から一カ月間弱、オーストラリアにバックパッカー旅行をしました。

帰国後の三月末。

大学院の同級生たちの修士論文発表会があったため、同級生の勇姿を見たいと思い、今思うとふてぶてしいですが、私もそこに顔を出しました。

同じ分野を学んだ仲間たちの努力を目の当たりにして、彼らの偉大さを改めて感じ取ることができました。

ですが、南半球のオーストラリアはその時は夏。私は、日焼けで真っ黒としてました。

実験と論文執筆のために研究室に籠っていた同級生からは、

「なんでお前黒いの？　は？　オーストラリア？　ふざけるな！」

と言われてしまいましたが、

「みんなは修士号取れたからよかったじゃない」

と答えたのもいい思い出です。

また、休学した研究室からは、大変ありがたいことに研究室全体の卒業祝いの飲み会にお声掛けいただき、教授からも、

「休学したけど、進む道が決まってよかったな」

という言葉をいただきました。

学生生活を振り返ると、様々な経験を通して多くの学びと成長がありました。未知の分野に踏み出す勇気を持つこと、そして、時には予期せぬ道が自分にとって最良の選択となることを学びました。

これらの経験は、私がこれから歩む人生の中で、大切な財産となっています。

これが、私の学生時代の物語です。

第三章　経済産業省への入省、そして初めての海外

●経済産業省への入省

二〇〇二年四月に私は経済産業省への入省を果たしました。

最初に配属されたのは商務情報政策局サービス政策課でした。

当時、経産省は医療をサービス産業の一環と捉え、医療のＩＴ化などを推進しており、それを担当する局のとりまとめでした。薬学部の知識が活かせると考え、この部署に配属されたのだと思います。

初年度の役職は「総括係員」でした。「総括」という言葉が使われていますが、これは具体的には「取りまとめ」の業務を指します。

私がいた部署は当時サービスユニットと呼ばれており、このユニットにはサービス政策課を取りまとめ課として、サービス産業課、医療・福祉機器産業室、文化情報関連産業課（通称：コンテンツ課）から構成されていました。

私はその筆頭課の末席に配属されました。

ちなみに、ここでいう「取りまとめ」とは、様々な部局から寄せられる依頼や質問などに対する窓口となり、それをユニット内の担当する各課室に転送し、それを取りまとめ、提出することを意味します。

逆に、サービスユニットから他の部局に作業を依頼したい時は、それをサービス政策課の総括が窓口として依頼する形になります。

ＯＪＴのような形でこの業務を繰り返しながら、経産省内におけるサービスユニットの立ち位置のみならず、日本政府内での経済産業省の立ち位置を理解することができました。

これにより、自分の業務が日本政府、そして経産省内でどのような位置付けやミッションを持っているのかを意識して仕事を進めることの大切さを学びました。

この一年間、ユニット内の先輩方に育てていただき、私は非常に恵まれた環境の中で仕事をできたと思います

特に、自分の直属の上司である課長補佐と係長の方には本当に仲良くさせていただき、結婚式にも出席いただきましたし、折々で個別に相談に乗ってくれるほど、親身になって

サポートしてくれました。

官僚というと、朝から終電が終わっても仕事をするブラックなイメージがあるかもしれません。

ただ、私の場合、最初に配属された課の業務は、他の同期の課に比べると少し余裕があり、国会質問が当たることも多くなく、時には日をまたぐもありましたが、大体二一～二四時には帰宅することができました。

それでも今の働き方改革の時代からすると遅いですが、大学の研究室生活が大変だったこともあり、当時は、

「研究室生活に比べると、土曜日は休めるし、なんて楽なんだ！」

と思っていました。

このことを特に事務系の同期に話すと、

「ツッチー、この業務が楽なんて思うのは変じゃない？」

と言われたこともあります。

一度厳しい環境に身を置くと、一般的には大変な環境もそうではなくなるのだなと感じ

ました。

また、剣道に関しては、先述したとおり経産省には剣道部があり、入省後もずっと続けることができました。

経産省別館屋上に稽古が出来る場所があり、当時の稽古は月曜日と金曜日の朝、水曜日の夜にありました。

東大剣道部の先輩方も多くおり、すぐになじむことが出来ました。

ニュースで稽古に参加されていた橋本元総理とも一度稽古をいただく機会があり、まさか自分もこの場で稽古することになるとは夢にも思っていませんでした。

経産省の一年目というのはだいたいみな総括の仕事を担当することになり、次の新人が入り、一～二カ月の引継ぎ期間を経てその席を渡します。

私もご多分に漏れず、一年二カ月程で異動となりました。

●終電が当たり前

二〇〇三年五月、私は原子力安全・保安院電力安全課のとりまとめの中心である総括係長に着任しました。

サービス政策課の筆頭補佐からは、

「土屋の次の異動先は、とりあえず一番厳しいところにしてくれって人事に伝えておいたから」

とは言われていました。内示をいただいたあと、原子力・安全保安院のとりまとめ課である企画調整課の同期に、

「電力安全課の総括係長の内示をもらったんだけど」

とチャットで伝えたところ、

「えええええええ!!! ツッチー、死ぬよ……」

との返信が……。

その筆頭補佐と同期の言葉どおり、新たな職場では法律関係の業務が山積みで、日々の法律運用や頻繁に行われる政省令の改正作業、特に災害が発生すると停電があるため、その現状確認などに追われる日々が続きました。

本当に忙しい毎日でしたが、その分、多くのことを学べたともいえます。

ただし、一年目とは打って変わり、二年目以降は朝九時から、通常は終電までが当たり前の生活になりましたが……。

●原子力安全・保安院での学び

原子力安全・保安院という部署は、仕事の目的が明確でした。

経済活性化といったある意味抽象的な目標を達成する方法は多岐にわたり、実現するのが難しい場合も多々あります。

しかし、原子力安全・保安院では、その目的が「発電所などの安全を守ること、確保すること」と非常にはっきりしているため、仕事の方向性を決めるという点では取り組みやすいと感じていました。

ただし、仕事量がとにかく多い。

電力安全課が担当する電力保安規制が、時代に合った内容や運用になっているかの観点からの見直しなどの検討が求められていました。

加えて、当時は小泉政権が規制緩和を強力に推進していたこともあり、全国規模の規制改革や構造改革特区において、非常に多くの規制緩和要望が提案される部署でもあり、常に多くの業務が存在していました。

このポストで私が学んだことは大きく二つあります。

一つ目は、法律や政令、省令など、様々なレベルの法令改正や実際の運用を経験することで、法令業務とは何かを学べたこと。

特に法令改正はロジカル思考が必要で、理系出身の私にとっては大変面白いと思えるものでした。

二つ目は、そうした法令改正をスムーズに進めるために、省内での了解を得るためにどのように進めていけばよいか、という省内調整プロセスを学べたことでした。

たとえば、省令改正は経済産業大臣の名前で行うため、電力安全課内だけの決裁では公布できません。

まずは、課内の理解を得て、次に原子力安全・保安院の取りまとめである企画調整課の了解を得る必要があります。

さらに、経済産業省の全体を司る大臣官房総務課の承認を得ることができれば、晴れて公布することが出来るのです。

しかしながら、その過程で求められるのは、必要なロジックや資料を入念に準備することのみならず、極めて多忙な決裁権者の方々にスムーズかつスピーディーに自分たちの案件を審査してもらえるようにするための工夫でした。


一つ目のポストは、末席として自分の部署が組織内でどのような立ち位置にあるのか、全体の構造を理解するための訓練となりました。

依頼された業務を適切に分配し、それを集約し、適切に処理して返すという仕事のプロセスを学んだのです。

そして、二つ目のポストでは、省としての了解を得ることが必要な業務を経験することで、さらに大きな視点をもって業務に取り組むことの重要性を学ぶことができました。

●注意と責任をもって、より大きな仕事を

二〇〇五年六月、原子力安全・保安院から資源エネルギー庁の資源・燃料部石油流通課に異動となりました。

ここでは課長補佐となり、ガソリンスタンド業界に対する補助金担当という重要な使命を担いました。

また、自動車やバイクが安全に走行できるよう、国はガソリンや軽油などの燃料の適正な品質規格を定めているのですが、新たな規格の策定も大きなタスクでした。

当時は、環境に優しい再生可能エネルギーとして、バイオ燃料の普及に特に関心が高まっていた時期。

具体的には、植物を原料とするバイオエタノールをガソリンに混ぜて使用するなどといった動きでした。

しかしながら、バイオ燃料の利用が時に車の性能に悪影響を及ぼしたり、石油製品から作られたエタノールを「環境に優しい」と謳って脱税の手段として悪用されたりすることもあったのです。

そのため、バイオ燃料が適正に使用されるための環境整備が急務の課題となっていました。

私の役割は、主に植物油から製造されるバイオディーゼルを軽油に混ぜた際、ディーゼル車の性能に悪影響が出ないような品質の規格を策定することでした。

このプロセスでは役人人生で唯一、薬学部での有機合成化学の知識や実験の経験が大いに役立つとともに、二つ目のポストで経験した省内調整に加え、環境省、農林水産省、国土交通省、総務省といった他省庁、そして自動車業界や石油業界といった国内産業界との調整を必要とするものでした。

私は、他国の取組を参考にするため、ブラジルやヨーロッパへの初の海外出張を経験するとともに、国内調整の重要性について学び、異なる省庁や産業界との間での調整作業に奔走しました。

このような経験がなかった私は、着任当初、産業界との会合で軽はずみな発言をしてしまい、それが大きな意味を持ってしまうこともあったため、より一層の注意と責任をもって行動するよう心がけたのを覚えています。

そのような中、日本が定めようとしているバイオディーゼル燃料を混合した軽油の規格の検討状況について、香港での講演の機会を得ることができました。

留学経験もなく、英語が得意ではなかった私にとっては大変な挑戦でしたが、これが後の海外勤務の可能性を示唆するものとなりました。

二〇〇七年三月、バイオディーゼル燃料を混合した場合の新たな軽油の品質規格を定めるための改正省令が公布されました。

この時は、本当にやりきったという思いで一杯でした。

●突然のインドネシア赴任

二〇〇七年六月、外務省在インドネシア日本大使館に出向となり、そこで二等書記官（経済班）として勤務することになりました。

忘れもしないその年の二月、人事に呼ばれ、インドネシア赴任を命じられた時、まさに青天の霹靂でした。

当時、入省八年目までは人事院の海外留学制度の対象であり、私自身も英語塾に通いTOEFLの受験もしましたが、留学すること自体が目的になってしまい、何を学びたいかがよく分からない状態になりました。

二〇〇六年一二月に人事面談があった際、

「で、土屋は留学どうするの？」

と人事担当者から聞かれた際には、

「留学よりも仕事で海外に行ってみたいです」

と答えました。すると、

「そうか、いや〜、来年マレーシアの大使館ポストとかが空くんだよね」

との発言が。

ただ、私が持っていたイメージとして、人事院留学に行くことができなかった人が海外経験を積むために八年目を境に大使館を含めた在外勤務をするもの、と捉えていたのです。


その時の年末年始は小樽の実家に家族で帰省したのですが、両親も含めて家族に、

「いや〜、人事からマレーシアとか言われちゃったよ。そんなことないと思うけどね」

と冗談めいていたのがまさかの現実に。

内示を受けたときは、

「マジですか?」

と驚いたものです。

外務省以外で入省五年目の若手が大使館勤務することは聞いたことがなく、私なんかはまだまだ国内を異動するのだろうと考えていたのです。

しかもその時期は私生活でも大きな変化があり、二〇〇四年に結婚、二〇〇五年には第一子も誕生し、内示を受けたときには妻は第二子も妊娠していました。

そのため、インドネシア最初の一年は単身赴任となったのです。

ちなみに、海外勤務は通常三年なのですが、私の場合は一年延長になり、インドネシアには四年間勤務となりました。

そのため、二年目から三年目は家族とともに過ごしたものの、海外赴任のため他人に貸していたマンションの契約期間も三年であったため家族は先に帰国し、最後の一年間は再び単身赴任となりました。

突然の海外勤務の内示は、驚きはあったものの、新たな挑戦の始まりも意味していました。

それまでの私の業務は、これまで述べたとおり国内調整が中心でしたが、インドネシアでは、海外での調整業務を担当することになりました。

そう考えると、少しずつ仕事の大きさがステップアップするという非常に恵まれた環境で仕事ができていたわけです。

着任後、最初の大きなミッションは、第一次政権時の安倍総理のインドネシア訪問準備でした。

「総理が七月に経団連ミッションとともにインドネシアに来ることになりました。土屋君は経団連ミッションの担当でお願いします」

と命じられ、いきなりその準備に追われて悪戦苦闘したものです。

もちろん総理のみならず経団連ミッションの受け入れ準備なんて初めての経験。忘れられないほどの大仕事です。

視察先の決定や、この機会に会っておくべき人々との調整など、総理の動きと成果作りに加え、経団連の方々のスケジュール調整にも駆り出されました。

しかも、一度視察先やスケジュールが決定しても、そこから様々な意見が出てきて、大幅に変更することもありました。この時、忍耐力と胆力をもって調整することの大切さを学びました。

総理訪問の前日は、ホテルの会議室で少し眠るしか時間がないほどのギリギリの状況でした。

とはいえ大変なだけでなく、楽しい経験もしています。右も左も分からないインドネシアだったのですが、大使館の同僚や現地の日本人の方々と一気に意思疎通ができるようになったり、総理の訪問予定先の下見でさまざまな場所を訪れることができたことで、たった二カ月間で一気に促成栽培され、インドネシアとジャカルタに詳しくなれたのです。

この経験は、私の視野をさらに大きく広げてくれました。

●インドネシアでの剣道との出会い

私と剣道とは切っても切り離せないもの。

当然、インドネシアに赴任する前にも現地の剣道事情を調べた上で赴任しました。

「剣道って日本だけでは？　海外でやっている人いるの？」

と思ったかもしれませんが、国際剣道連盟への加盟国は六〇以上の国・地域となっていて、公式のデータはないようですが、世界の競技人口は約二六〇万人以上といわれているくらい、世界の多くの方が剣道に取り組んでいるのです。

インドネシアにいたころは、ジャカルタ・ジャパン・クラブ（ＪＣＣ）の剣道部であるジャカルタ剣友会に所属し、毎週土曜にＪＣＣが管理するスカイラインビルディングの武道場と、日曜にジャカルタ日本人学校（ＪＪＣ）でインドネシア剣士とともに稽古をしていました。

なお、土曜の稽古場は残念ながら途中で閉鎖になってしまい、色々と探した結果、水曜夜にサリパン・パシフィックホテルのフィットネスルームをインドネシア剣士達が借りてくれて、そこで稽古するようになりました。

さらには、当時、私と同様、剣道大好きな日本人の方が多く、アパートのフィットネスルームで朝稽古もしていました。

海外赴任を通じて、剣道をやっていて本当に良かった、と心から思いました。

剣道という日本の文化を通じて、インドネシアの方々と深く交流できる貴重な機会になったからです。

また、日本人駐在員は、土日は通常、仕事の関係者とゴルフなどをして過ごすことが多いのですが、ジャカルタ剣友会の活動を通じ、仕事に全く関係ない日本人駐在員の方々と交流の場を持てたことも、非常にありがたかったことでした。

ジャカルタ剣友会の方々とは、ジャカルタのみならず、バンドゥン、スラバヤ、メダンなど、現地の剣士や地方で剣道を教えている日本人の方々と交流するために遠征したこともしばしばあったのです。

二〇〇八年は日本とインドネシアが国交樹立してから五〇周年と記念となる年。「日本インドネシア友好年記念剣道大会」の事務局長として取り組み、日本、シンガポール、香港などから多くの方が参加されました。この時、北海道チームの一員として私の小樽の師匠が参加してくださり、ＪＪＣで稽古をいただいた時はとても感慨深かったです。

また、二〇一〇年一〇月、シンガポールで第九回ＡＳＥＡＮ剣道大会が開催された際、インドネシアチームに同行しました。

結果は厳しいものでしたが、一つの目標に向けて、インドネシア剣士と日本人の先生方と一緒に努力したことはかけがえのない経験でした。

このように、インドネシアでの剣道は、文化交流や人との繋がりを深める素晴らしい手段となりました。

そして、それはただのスポーツ活動以上のもの、人生において大きな価値と意味を持つ経験だといえます。

●海外の言語の壁

インドネシアには二〇〇七年五月から二〇一一年六月まで四年間、赴任していました。

インドネシアでの四年間で感じたことの一つが、海外で働く際に最大の障害となるのが言語の壁だということ。

留学経験もなく、英語が得意だったわけではない私は、着任した初日からメモに頼っていました。

「私は日本大使館の土屋と申します。今日は……について議論させてください」

このような定型文を英語でメモして、常に携帯していたのです。


また、打ち合わせの際には議論するポイントをA四用紙一枚にまとめ、話し忘れがないようにしました。

議論は主に口頭で行われるため、英語でのやり取りが必須だったので、なおさら言語の壁が障害となったのです。

それに加えて、議論を重ねる中で、相手の理解とこちらの理解が同床異夢になることは極力避けなければなりません。

議論の最後に今回のまとめをせずに終わると、必ずと言っていいほど理解の食い違いが生じてしまいます。

スタートラインでの少しの理解の相違が、時間がたつと大きな相違になってしまうこともしばしばで、その修正には多大な労力がかかってしまいます。

ですので、議論の後には必ず、

「今日の議論を最後にまとめてもよろしいですか？」

と尋ね、

「今日私たちが合意した点は、まず一つ目がこれ、二つ目がこれ、三つ目がこれです。お互いの検討事項はこれですね」

などとまとめます。

それに対して相手がうなずいたら、そのまとめは成功というわけです。念には念を入れて、その内容をオフィスに戻ってから備忘録としてメールで送ったりもしていました。

これはもちろん日本人同士のやり取りでも同様のことが大切でしょう。


インドネシア語に関しては、インドネシア政府の国際関係を担当する人たちは基本的に英語を話せます。

しかし、インドネシア政府が公布する法令は全てインドネシア語で書かれています。

これこそが、私が直面した最大の課題。

インドネシア政府の法令や文書を理解するために、外国企業の方々は、法律事務所やコンサルティング会社、翻訳業者などが訳した英語や日本語に翻訳したものを参考にすることがあります。

ただし、法律に関する専門知識がない人が訳すと、その翻訳が正確でない場合がしばしばあるのです。

法律用語として適切ではない表現が用いられていることだってあります。

そのため、こうした翻訳資料を参考にすると、インドネシア政府が意図していることを正しく理解するのが難しいと感じることが多々ありました。

このような状況の中、私は「インドネシア政府の考えをより理解するために、もっとインドネシア語をきちんと学ばなければ」という危機感を抱くようになったのです。

そんなあるとき、東京電力からエネルギー鉱物資源省にＪＩＣＡの電力長期専門家として赴任している方が、インドネシア語の法令を日本語に翻訳する作業に取り組んでいました。

この方は、インドネシア駐在や長期出張を数多く経験されていたのです。

私自身も、着任当初から日本語に堪能なインドネシア人の家庭教師からインドネシア語を学んでいましたが、この方の影響を受け、私もインドネシア語の法令を和訳しようと、さらに学習に力を入れようと決めたのです。

また、外務省職員であるMさんとの出会いも大きなものでした。

Mさんはもともと大学院で理系を専攻し、水産職で外務省に入省されたのですが、その言語能力が高く評価され、天皇陛下の通訳を務めたこともあるほどです。

Mさんは在インドネシア大使館に着任してから数カ月後には現地の新聞を読むことさえできるようになっていました。

このような出会いも、語学をより頑張ろうと思うようになった出来事の一つでした。

そもそもインドネシア語は発音も難しくなく、他の言語に比べて比較的学習しやすい言語と言われています。

特に、ジャカルタなどにある日本食レストランに行くと、注文をする際にインドネシア語を使う必要があるため、簡単ではありますが非常に実践的な学習機会となりました。

こうしたことを通じ、積極的に自分が担当する分野のインドネシア語の法令を邦訳する作業にも取り組みました。

そういった努力の結果、インドネシア政府との会合でも、インドネシア語の原文を示しながら議論したり、十分に話すことは出来るまではなりませんでしたが、相手方がインドネシア語で話していても五割くらい理解できるまで成長しました。

この経験を通じて私は、マイナー言語を学ぶことの魅力を実感できたのです。

●在外公館における日本企業支援業務

私が二〇〇七年にインドネシアへ赴任した当時、日本政府では「経済外交」という言葉が盛んに使われ始めていました。

これは、政府と民間が手を取り合って国際社会での日本の立ち位置をより強固なものにしようという取組です。

特に、オールジャパンの精神に基づく「官民連携」という考え方が強調され、「オールジャパンで取り組みましょう」「官民連携で」といった言葉が、私たちの間で頻繁に交わされるようになりました。

二〇〇八年頃だったでしょうか、外務省では各在外公館に日本企業支援担当官を設置し、各担当官の氏名をホームページで公表して窓口を設けるなど、その地で活動する日本企業を支援するための施策が強化されました。

現在でもその取組は継続されており、各国の日本大使館・総領事館の主要業務の一つとなっています。

現地日系企業の方々の声を直接聞くことできるこの取組は、私にとって大変刺激的なものでした。

霞ヶ関ではほとんど経験できない、手触り感とリアル感のあるビジネスに関する相談。そして、それをどのように相手国政府に働きかけて解決していくかというのを、企業の方と一緒に考えるプロセス。

こうした経験を若いうちからできたことは、本当に大きな財産となりました。

しかしながら、日本企業の多くの方は、「大使館は敷居が高い」と感じていらっしゃいます。

もっと言うと、「大使館に相談するのは最終手段であり、駆け込み寺的存在」と捉えている方がほとんどかと思います。

ただ、それだと大使館にとっても、ギリギリかつ煮詰まってしまった状態での相談になるため、手段が限られ、解決できるものも解決できなくなってしまうことがあります。

こうした考えが、官民連携を難しくしている側面になっていると考えています。

日本企業と大使館との真のコミュニケーションを構築するために、私は様々な工夫をしてきましたし、実際それが成果に繋がったこともあります。

いかにして双方が同じ目線で取り組めるかが、官民連携の促進のキーポイントだと思います。

●東日本大震災の瞬間

二〇一一年三月一一日、日本では未曽有の大災害が発生しました。

当時は、あと三カ月程で日本に帰国というタイミングであり、まだ在インドネシア日本大使館に勤めていたのです。

そのため、私自身は三・一一が起こった当初の日本の状況については、ほとんど知らない状態でした。


日本とインドネシアでは時差があり、日本時間の午後二時はインドネシアの午前一二時。

特に強く記憶に残っているのは、ちょうどお昼休みの時間にネットでヤフーニュースを見ていたら、そこに「日本で震度七の地震が発生した」という速報を目にしたこと。

当時、私はエネルギー分野を担当しており、特に原子力発電所の海外輸出に関連する業務に携わっていました。

日本政府が推進していたその計画の中で、インドネシアも対象国の一つであり、人材育成などについて日本政府として様々な取組を進めていた最中だったのです。

そのため、津波による福島第一原子力発電所の事故は、インドネシア政府にとっても大きな衝撃でした。

しかも、東京からの情報がほとんど入ってこない状況。

どう対応すれば良いのかを模索する中、公表されている日本語の資料を自分で英訳し、インドネシア政府の原発関係者たちのメールアドレスにその情報を流し続けることにしました。

この経験は、私にとっても、そしてインドネシアにいる多くの関係者にとっても、忘れられない出来事となりました。

第四章　ベトナム、そしてインド

●帰国後は政権の中枢へ

二〇一一年六月、インドネシアから帰国した私はそこから、引き続き国際関係を中心としたキャリアをたどります。

・二〇一一年六月　経済産業省貿易経済協力局戦略輸出室課長補佐（総括）
・二〇一二年一月　内閣官房ＴＰＰ交渉参加に向けた関係国との協議に関する関係閣僚会合事務局参事官補佐
・二〇一三年一月　内閣官房日本経済再生総合事務局参事官補佐（国際担当）
・二〇一三年四月　内閣官房ＴＰＰ政府対策本部参事官補佐
・二〇一三年七月　経済産業省通商政策局欧州課課長補佐（総括）

まず、経済産業省の貿易経済協力局戦略輸出室に異動。そこで課長補佐（総括）となりました。

インドネシアでは主にエネルギー分野、特に日本の技術を活用した発電所や送電線などの電力分野のインフラ案件をインドネシアに輸出する、「インフラ輸出」を担当していました。

この経験を評価いただき、経産省が関与するインフラ輸出案件のとりまとめ及び推進をすべく、新設された戦略輸出室に配属されました。

しかしながら、四年ぶりの本省勤務で半分浦島太郎状態。

それに加え、省内の取りまとめを担う新設部署の業務をどのように進めていけばよいか、毎日、戸惑いながら手探りで仕事を進めていたというのが正直なところでした。

そして半年が経った頃、なんとか進める方向性が見えてきたなと思ってきた矢先、突然、内閣官房への異動を命じられました。

「まさかこのタイミングとは」と、とても驚きました。

業務内容を聞いてみると、ＴＰＰ（環太平洋パートナーシップ協定）担当とのこと。

これまで通商政策に関わったことがない自分としては、異例の異動時期に加え、その分野、特に新聞などを当時賑わしていたＴＰＰを担当することに驚きました。

なお、通商政策とは、他の国や地域との間で、工業製品や農作物といった「モノ」や金融、ＩＴ、旅行といった「サービス」を売り買いする時や、「ヒト」の移動があった時に、それぞれの手続を簡素化したり、互いに投資しやすくなるような環境整備などを検討、実施する政策のことをいいます。

二〇一二年一月に、内閣官房ＴＰＰ交渉参加に向けた関係国との協議に関する関係閣僚会合事務局の参事官補佐に着任しました。

この時期というのは、東日本大震災まもないころの民主党政権下。

二〇一一年一一月、野田総理は、日本がＴＰＰ交渉に参加するか否かの判断をするため、関係国との協議を行うとともに、国民的議論を行うための新たな閣僚会合を設置するとの方針を示しました。

私が配属されたのはその事務局であり、経産省、農水省、財務省、そして外務省からの出向メンバーとともに、ＴＰＰに関する全国各地での説明会や、様々な業界団体との意見公開会の実施を担当しました。

ハッキリ書いてしまいますが、民主党政権下でのＴＰＰの議論は、私にとって多くの落胆を伴うものでした。

民主党には反対派の先生方が多かったこともあり、議論は遅々として進まず、参加するかどうかの決定になかなか至らない状況に直面したのです。

心の中で、

「これだけ反対している議員がいるなら、参加しないとさっさと決めたらいいのに」と思ったこともありました。

他方、内閣官房の業務はまさに政権の中枢。

特に、政治と行政との関係を肌身で感じ、「なるほど、こうやって政策は決定していくのか」というのを間近で経験できたことは大変良い経験でした。

そうした中、二〇一二年一一月、国会での党首討論において、野田総理は突然の解散宣言。

総選挙の結果、再び自民党政権に。

二〇一二年一二月、第二次安倍政権が発足しました。

すると、様々な政策の意思決定が極めてスピーディーに。

一気に物事が動き出しました。

「これが本当の政治なんだな」

と思った記憶があります。


ＴＰＰについては、参加に向けて国内外の調整が進み、二〇一三年四月にインドネシアで開催されたＴＰＰ交渉参加国の閣僚会合において、日本の正式なＴＰＰ参加のため、各国内で手続きを進めることが決定されました。


そして、同年七月後半にマレーシアで行われる交渉会合で日本の正式参加が見えてきた二〇一三年六月、異動の内示が。

「正式参加してからが本番！」と思っていたところの内示で、正直悔しいタイミングでの異動でした。


二〇一三年七月からは経済産業省通商政策局欧州課に配属され、課長補佐（総括）を二年間務めました。

「まさかヨーロッパ担当とは……」

英語は母国語ではないインドネシア政府とのやりとりはなんとかなっていたものの、「本場のヨーロッパの方々なんて無理！」と思いましたが、命じられた以上は「まな板の上の鯉」の気持ちで取り組みました。

しかしながら、着任早々、幹部とともに英国やベルギーなどを出張した時、相手の言っていることがほとんど分からず、そうした中で議事録のためにメモを取らなければならず、本当に辛い気持ちでした。

この英語コンプレックスは、この役職中はずっと持っていました。

この時期は、日本とＥＵの経済連携協定の交渉真っ最中。

併せて、ロシアによるクリミア半島への侵攻、イギリスのＥＵからの離脱など、ヨーロッパとその近郊における国際的な動きが活発だった時期であり、大変忙しかった記憶があります。

安倍総理は「地球儀を俯瞰する外交」を掲げ、積極的に各国を訪問されており、ヨーロッパ訪問時には私も同行メンバーとなり、幹部とともに政府専用機に乗せていただくという貴重な機会もいただきました。

この他にも、経産省の政務（大臣、副大臣、政務官）や幹部の出張にも同行。おそらく、在籍した二年間は、一年のうち二〜三カ月くらいは出張だったと思います。そのおかげもあり、ＥＵ加盟国二八カ国（当時）中、二〇カ国強とほとんどのＥＵ加盟国を訪問することは出来ました。

ですが、パリなどへは片道約一二時間のフライトであり、図体がでかい私としてはエコノミークラスでのフライトは本当にきつかったです。

この二年間はほぼ「忙しかった」という記憶ですが、もちろん、忙しいということはそれだけ学びと成長も多かったということ。

私にとって貴重な財産となっています。

●経産省の定期健康診断改革

経済産業省大臣官房厚生企画室に課長補佐（総括）として配属されたのが二〇一五年七月。

大臣官房厚生企画室というのは、経産省のイメージとは少し違う部署かもしれません。

大臣官房は、経産省の政策を取りまとめる中枢的な部署である総務課の他に、人事や福利厚生、情報システムなどのバックオフィスの業務を担当する部署から成り立っています。

これまでの国際関係業務から、一転してバックオフィス業務を担当することになりました。

厚生企画室は、庁舎管理から始まり、暖房や冷房の管理、各種工事の進行、公用車や公用携帯電話の管理、職員の健康管理（定期健康診断など）、共済組合、公務員宿舎の運営、労務災害対応などというように、その担当範囲は広大でした。

ただ、こうした業務は主として「経産省職員がお客様」であり、手触り感のある仕事ばかりで、自分にとって大変やりがいのあるものでした。

この責任ある業務の中、特に心に残っていることがあります。

それは、定期健康診断の改革を推進したこと。

当時、経済産業省は「健康経営」という従業員などの健康管理を経営的な視点で考え、戦略的に実践する政策を推進し始めたころであり、「健康経営」に優れた企業を「健康経営銘柄」として選定するなどの取組を進めていました。

その選定要件の一つに「一般定期健康診断の受診率一〇〇％」というのがあるのですが、この政策を推進する経産省自体の受診率が七～八割程度と低い水準であったという課題がありました。

このため、人事管理を担当する秘書課から、なんとかして受診率を上げるための方策を検討するようにとの指示がありました。

秘書課とともに健康経営銘柄に選定された企業を数社訪問し、健康診断受診率を向上させるための方法を学び、それを経産省に合った形で実践することにしました。

定期健康診断は春と秋の二回実施していたのですが、受診率を向上させるためにやった中で効果的だったものをいくつか紹介させていただきます。

受診率が低い一番の理由は、業務が忙しすぎて職員が受診する時間を作ることが難しいこと。

これを解決するためには、上司から各職員に受診を促すようなスキームが必要だと考えました。

そのため、定期健診期間前には、各部局の局長や筆頭課長が集まる会議において、定期健診の取組強化を周知することに加え、職員が受診しやすい環境構築の協力依頼をしました。

併せて、定期健診期間中、各部局の受診率を毎日速報として職員に一斉メールで通知することにしました。

これは、各部局の幹部が、「なんでうちだけ受診率が低いんだ。部下に受診するよう声掛けしなくては」といった意識をもっていただくきっかけとなりました。

また、空いている時間帯に「今は空いています。待たずに受診できます」といった内容の一斉メールも配信しました。

だいたいどこの企業も同じだと思いますが、健康診断は朝の時間帯に集中し、かなり混みます。

一方、それ以降になると待たずにすぐに受診できますが、仕事があるため実際に受診する人は少な目。

そのため、この一斉メールにより、
「あ、今なら業務の関係で大丈夫だから受診しよう」
と思う職員が出てきたり、上司が、
「今空いているから受診できる人は行ってきて！」
と職員に声掛けできたりと、これは非常に効果的でした。

また、一般的な健康診断の場合、「前日の二一時以降は食事を控えてください」などの案内があるもの。

ですが、霞が関は夜遅くまで仕事があるため深夜にご飯を食べてしまい、それで健康診断を受けるのを諦めてしまうというケースが多いことも分かりました。

そのため、なぜ二一時なのかという根拠を調べたところ、実際は受診の一二時間前以降に食事をしなければいいのだと判明しました。

つまり、深夜一二時に夜食をとったとしても、お昼に健康診断を受けることはできるのです。

早速、定期健診の案内の記載を、「受診予定の一二時間前以降は食事を控えてください」という内容に変更しました。

こういった改革によって、柔軟に健康診断を受診できるようになり、受診率は約九五%以上に大幅に改善したのです。

さらに、受診後のフォローアップ、要するに健康診断で悪い結果が出た人への対応も重視しました。

具体的には、健康経営銘柄に選定された企業が取り入れていた制度を参考に、健診結果が悪く、医療機関への受診が必要な職員には、その度合いに応じて健診結果の通知文書にレッドペーパー又はイエローペーパーを同封し、経産省内にある健康支援センターに行き、保健師に相談するよう通知したのです。

健診結果が普通の白い紙で配布された場合、結果が悪くてもスルーされてしまうことが多いですが、結果通知を開けた瞬間に赤や黄色の色紙が入っていると、「あなたの結果はヤバいですよ」というのを視覚的に訴えることができます。

職員にとっても理解しやすく、導入から数年経った頃には、職員の方も「レッドペーパー、イエローペーパー入っていないよな」とドキドキしながら結果通知を開けるようになったと聞いており、狙いどおりに意識改革に繋げることができたかなと思っています。

こういった取組によって、職員の健康管理意識の向上と、必要なフォローアップを受ける機会の増加に繋がったのです。

薬学部出身の私にとって、経産省に入省して初めて医療関連の業務に携わった経験であり、大変印象深いものでした。

職員たちの健康を守り、それによって組織全体の生産性向上に寄与することができたと自負しています。

●コワーキングスペースサミットを企画、開催

大臣官房厚生企画室に二年間在籍した後の二〇一七年七月。

国土交通省国土政策局総合計画課・広域地方政策課に出向、広域政策企画官に着任しました。

ここでは「国土形成計画」という壮大な計画に携わる機会を得ました。

「国土形成計画」の前身は、日本が経済成長していくための都市開発や道路その他の交通基盤、工業地帯といった社会資本の整備のあり方などを長期的に方向付けた「全国総合快活計画（全総）」。

「国土形成計画」は簡単にいうと、全総におけるインフラなどのハード面での整備が一定程度成熟したことを踏まえ、理想の国土を構想し、どのようにすればその理想に近づけるかを考える、いわばソフト面からのアプローチを試みるもの。

私たちは、「こうした日本になれば素晴らしいだろう」という願いを込め、様々なアイデアを出し合いました。

当時、私が関与したのは第二次国土形成計画。

この計画では、国土の基本構想として、それぞれの地域が個性を磨き、異なる個性を持つ各地域が連携することによりイノベーションの創出を促す「対流促進型国土」の形成を図ることが掲げられていました。

このため、「対流」というキーワードが非常に重要視されていました。

「対流」とは、留まることなく、様々な要素が交わり合い、新しい価値を生み出す動きのこと。

国交省では「対流促進型国土」の実現に向けた取組を推進するため、委員会をいくつか立ち上げており、私はその中で「稼げる国土専門委員会」を担当。

その議論において、対流を生み出す重要な場として、コワーキングスペースに着目しました。

その議論の過程でコワーキングスペースに携わっている方々にヒアリングを行っている中、ヤフーの方と知り合う機会に恵まれました。

ヤフーは「LODGE（ロッジ）」というコワーキングスペースを赤坂で運営しており、そこはイベントスペースも併設されていて、現在も同様の運用をされているか承知していませんが、当時はLODGEの趣旨に合致したイベントであれば無料で利用できたのです。

それを聞いて、私はあるアイデアを思いつきました。

「このLODGEを活用して、コワーキングスペース関係者を集めたイベントを開催しよう」

そこで、私は白鴎大学、ヤフー、そして国土交通省の共催で、コワーキングスペースサミット二〇一八」を企画しました。

白鴎大学にも共催いただいたのは、経営学部の教授の方にモデレーターをお願いしたためです。その方は、国土形成計画を研究テーマの一つとして取り上げていただいており、私の部署は折々でアドバイスをいただいていました。

このイベントのパネリストには、LODGE の責任者の方のほか、六人の方をお招きしたのですが、私はその一人一人に連絡を取り、このサミットの説明をして、参加してもらえるように依頼しました。

実は、このイベントは年度途中から企画したため、予算の手当が全くありませんでした。にもかかわらず、パネリスト候補の方々に、

「大変申し訳ないことに謝金も旅費も出せないのですが、参加していただけないでしょうか」

とお願いしたところ、大阪、奈良、福岡といった遠方の方からもほぼ即答で「面白いイベントですね！　参加します」と快諾いただけたのです。

とはいえ、パネリストの持ち出しとなってしまっている現状はよくありません。どうにかならないかと苦慮していたところ、白鴎大学が共催していることから、イベント内容を論文紀要に掲載することで、交通費分を提供いただくことができました。予想もしていなかったことで大変驚きましたが、本当にありがたいことでした。

一般の傍聴者も定員一〇〇名程度としたのですが、モデレーター・パネリストの方々がFacebookなどのＳＮＳで拡散してくださった結果、募集から二週間も経たない段階で満席に。

イベント当日は大盛況。Facebookで生配信するといった試みもしました。

終了後は、LODGEでモデレーター・パネリストと傍聴者との懇親会を会費制で実施。まさに「対流」が生まれた一日でした。

こうして、予算ゼロからスタートしたプロジェクトは大成功。

まるで文化祭のような手作り感溢れる楽しいイベントが無事に終了し、懇親会ではおいしいビールを飲むことができました。

今もそのときのモデレーター・パネリストの方々とは交流があります。

●突然の内示

私が担当した「稼げる国土専門委員会」は、三年間でとりまとめを行う予定となっており、私が着任した時は初年度のとりまとめが終わったところでした。

そのため、通常国内での出向の任期は二年なので、出向二年目が最終とりまとめのタイミングでした。

出向一年目の後半、委員会二年目のとりまとめを進めていた二〇一八年二月、突然海外赴任の話が持ち上がりました。

今度はベトナムです。


二月半ばに突然経産省の人事から呼び出しがあり、

「あれ？　何か悪いことやったっけ？　もしかしたら通常の人事面談、まだ今年度やっていないからかな」

と思いながら人事を訪問したところ、

「土屋、アジア好きだったよな？」

の一言。

まさか海外赴任の内示とは思いもよらなかったため、

「もしかして、海外赴任の内示ですか」

と聞き返したところ、

「そうだ」

との回答。

通常、海外赴任の内示は一二月の終わりから始まり、一月ごろに出されるもの。しかし、ベトナムは後任がなかなか決まらなかったらしく、アジア経験がある私に白羽の矢が立ったのです。

そういえば、インドネシア赴任の内示をもらったときも二月で、そのことをすっかり忘れていました。

実は、私はその少し前に都内に家を建てることを決め、土地の売買契約をしたばかり。その年末には入居予定で準備を進めていたのです。

なので、正直にそのことを伝えたところ、当時の上司は少し困惑しつつも、

「そうか……。自分も海外赴任の内示もらったとき、家のリフォームしたばっかりだったんだよな。どうしても赴任出来ない理由があれば考えるけど、前向きに検討してよ。時間

もないから一週間くらいで返事をよろしく」

とのこと。

実は、私がインドネシアへ行った時も、内示が出る直前にマンションを購入していたのです。

その日は、業務終了後すぐに自宅に直行。妻にベトナム赴任の内示の話をしたときは、

「前の例もあるし、家買ったからもしかしたらまた海外赴任があるかも」

と感じていたそう。

このタイミングでの海外赴任の内示は、青天の霹靂と言っても過言ではありませんでした。

その一方で、私は以前からもう一度海外で仕事をしたいとも強く思っていました。

本当のところは、インドネシア語も学んでいたので、また同じインドネシアで仕事をできれば、過去の経験も活かせると考え、毎年の異動希望票には「インドネシア」と書いていたのですが。

私の希望とは少し異なる展開で、かつ、子供の受験の関係もあり家が建つのに再び単身赴任となることに戸惑いを隠せませんでしたが、こうしてベトナムへの赴任を決意しました。

それから約四カ月後の二〇一八年六月、在ベトナム日本大使館参事官（経済班）に着任しました。

主に担当することになったのは、インドネシア時代に携わったのと同じ、エネルギー分野です。

特に当時注目されていた大きな案件には、日本企業が投資を行う石炭火力発電所や石油・ガス鉱区の開発などのプロジェクトがありました。

同時に、環境に優しいエネルギーを導入する観点から、メガソーラーやバイオマスなどの再生可能エネルギー関係や、ＬＮＧ（液化石油ガス）発電所のプロジェクトも動き出していました。

さらに、日本の円借款を活用した地球観測衛星プロジェクトが停滞していたため、それを再開させたりする任務などもありました。

これらのプロジェクトは、いずれもベトナムにおける経済活動を支える重要インフラで、現地でこれらを推進していくことが私の主な仕事だったのです。

国こそ違いますが、インドネシア時代に培った経験や知識、スキルが活かせるのではないかと期待していました。

それに、インドネシアとは異なる文化や環境に身を置くことで、さらなる成長を遂げることができるとも考えるようになっていたのです。

●着任時の荷物のほとんどは剣道具

在インドネシア大使館へ赴任したときは、初めての海外赴任だったこともあり、かなり多くの荷物を持っていきました。

しかし、たとえばインドネシアに関する書籍などは、大使館内の書庫だったり、現地の日本人会の図書館にたくさんありました。

また、衣服だって現地で手に入ります。

わざわざ日本から持っていく必要がないものも案外多いわけです。

その経験を踏まえ、ベトナム赴任の際は、荷物を最小限にし、必要なものは現地で調達するという方針を取りました。

とはいえ、剣道具に関しては自分に合ったものを現地で手配するのは難しいため、防具二セット、愛用の竹刀六本を持っていくことに。

ちなみに、ベトナムへ持って行った荷物はスーツケース一つと段ボール五つでしたが、そのうちの半分が剣道具となりました。

ただ、これはベトナムに着いてから知ったことなのですが、ベトナム剣士から、「竹刀は輸入しているが、ベトナムには剣道の防具を製造する工場がある」との話を聞き、とても驚きました。

私は一度もそこから購入したことはなかったですが、ベトナム剣士にとっては、ベトナム国内で防具を容易に手に入れることができ、剣道を始めるには非常に適した環境であると感じました。

ただし、国によっては剣道用具の輸入でさえ難しいようです。

海外では、竹刀や防具が武器関連のものと見なされることが多いため、税関を通過することが難しい場合もあるようです。そのため、剣道具を輸入する際は、品目に「Sports Equipment（スポーツ用品）」と工夫して書くなどをしていました。

特に次に行ったインドは剣道具は輸入するのが極めて困難とのこと。

こういった国になると、剣道具を調達できないため、なかなか剣道を普及させるのは難しいといえるでしょう。

●ベトナム剣士の稽古で感動

インドネシア同様、ベトナムでもやはり剣道の稽古は欠かしていません。

初めてベトナムで剣道に参加したのは、着任してからわずか四日後のこと。

ベトナム剣士が運営する剣道クラブに参加することができました。

インドネシアや日本の剣友たちからベトナムで活動している剣道クラブを紹介してもら

い、日本から「今度ベトナムに赴任することになりました。ぜひ稽古に参加させてください」というメッセージをFacebookのメッセンジャーを通じて交わしていたのです。

そのクラブで目の当たりにしたのは、約五〇人のベトナム人が剣道の稽古に励む姿でした。

彼らは「防具をつけていない初心者グループ」「防具をつけ始めたばかりのグループ」「経験を積んでいる防具メンバー」の三グループに分かれていて、それぞれのグループをベトナム剣士による指導で稽古が進められていたのです。

この光景を目にした時、私は心から感動しました。

ベトナム人の剣道愛好家たちが、これまで日本の先生から学んだ知識を基に、熱心に自分たちで練習メニューを考案し、それに基づいた稽古を行っている様子は、本当に素晴らしいと感じました。

ただ、その時に感じたことは、いわば「顧問のいない部活動」。

その状況を目の当たりにして、可能な限り技術的な面で彼らをサポートし、後押ししたいという強い思いを持ちました。
単身赴任であったため、時間を作りやすかったこともあり、できる限り稽古に参加しようと決意しました。

彼らの稽古姿勢から私は多くのことを学びましたし、彼らと共に剣道を通じて交流を深めることができたのは、私にとって貴重な体験といえます。
剣道を通じて新たな文化に触れ、異国での生活においても心強い仲間を得ることができたのです。

三年間の赴任期間中、新型コロナウイルスの流行によって活動が制限されてしまった時期もあったものの、その時期以外は剣道に深く没頭することができました。
ハノイにはベトナム人剣士の剣道クラブが三～四カ所あった他に、韓国人駐在員の剣道クラブ、そしてに毎週日曜日にハノイ日本人学校で日本人剣道クラブがあり、やろうと思えば毎日稽古が出来る環境でした。

ベトナムの大都市の一つであるホーチミンにも剣道クラブが多くあり、二～三カ月に一度、ホーチミンに行って、ベトナム剣士の剣道クラブや日本人剣道クラブの稽古に参加することもありました。

そういったこともあり、ベトナム滞在中の剣道は非常に充実していたと感じています。

●ベトナムチームの監督に就任

実はベトナムに赴任する前、東大剣道部出身で世界剣道連盟に関わっている先輩から、「ベトナムに赴任するなら話しておきたいことがある」とのことでお会いする機会がありました。

「ベトナムには剣道愛好家が多く、実力もある。そのため、ベトナム剣士からも世界剣道連盟に加盟したいという希望を聞いているが、現状では二つの組織に分裂しているため、加盟できない状況が続いている。仕事も大変だと思うが、まずは現地の稽古に参加して、何が出来るか考えてくれないか?」

とのこと。

世界剣道連盟に加盟するためには、その国・地域を代表する唯一の団体である必要があり、現状の分裂している状況では加盟が認められないとのこと。

また、大使館の上司からは、

「土屋君の所属は経済班だけど、剣道をやっているなら、ベトナムで日本文化の普及にも力を入れてほしい」

とも言われていました。

そのため、私はこの任務にも意識を向けて取り組んだのです。

しかし、現地で話を聞いてみると、二つの団体が存在する経緯や歴史があること、また、人によって見方も異なっているなとも感じました。

そんな両者が一つに統合することは容易ではないと分かり、私としては、

「団体をどうするかはベトナム剣士が決めること。まずは技術的な面でサポートしよう。そうした中で統一に向けた動きがベトナム剣士側から出てくれば、その時は精一杯サポートしよう」

と思いました。

先輩がおっしゃっていたとおり、ベトナムの剣道の実力は非常に高いものでした。実際に、三年に一度開催されるＡＳＥＡＮ大会では、私が赴任する前の二〇一六年にタイで開催された際、ベトナムは男子団体戦において初優勝を飾っているのです。

そして、二〇一九年八月にはインドネシアが主催国となって、再びＡＳＥＡＮ大会が開催される予定でした。

この時はなんと、ベトナム剣士から「土屋先生はベトナム剣士の稽古にすごく参加してくださっているので、ＡＳＥＡＮ大会のベトナムチームの監督をお願いできませんか。ぜひ連覇をしたいです」という申し出が。

色々と考えましたが、ベトナム剣士からの直接の依頼でもあり、ありがたくお受けし、監督を務めることになったのです。

ベトナム剣士としては、これを機に統一チームで出場することを検討していました。

私としても、このタイミングでその形になれば、世界剣道連盟加盟への大きな一歩になる、という思いがありました。

それに向けて、ハノイのみならずダナン、ホーチミンにいる日本人剣士の先生方とも連携し、その実現に向けての協力を試みたのですが、様々な障害に直面し、最終的には両団体の合意による統一チームでの出場は見送ることとなったのです。

選手構成は片方の団体の選手が主体でしたが、もう一つの団体からも数名参加しましたので、実質的には統一チームだったと個人的には勝手に捉えています。


自分にとっては初めての監督就任。

監督となってからは、ハノイの稽古に加え、ホーチミンにも月一回のペースで稽古に参加。

コーチとなった日本人先生とも相談しながら、個人戦、団体戦メンバーの選定、そして団体戦のオーダーを準備しました。

結果、その大会でも優勝することができました。

連覇をしたいというベトナム剣士の思いを形にすることができたことの嬉しさ、初めての監督として皆の力で結果を残せたことの安心感で、決勝戦が終わり、選手達を迎え入れたとき、涙が止まりませんでした。

その時の記念写真は、現在も私のFacebookのカバー写真として掲載されています。

先述したとおり、組織の統一については、最終的な決定は彼らが行うべきものであり、私はそれを尊重しました。

しかし、ハノイやホーチミンにおけるベトナム剣道クラブの稽古や大会参加など、多角的な活動を通じて、現地の人々と一つの結果（ＡＳＥＡＮ大会優勝）を出せたことは、私にとって大きな経験となりました。

そして、日本人剣士とも協力してベトナム剣士への指導やお互いの稽古に取り組むことができたのも、大変意義深いことでした。

もしも剣道をしていなければ、おそらく現地の人々との深い交流はなかったでしょう。

海外に行くと、日本人はついつい日本人同士で固まってしまいがちですが、インドネシアと同じようにベトナムでも、剣道を通じて仕事以外で現地の人々や日本人、韓国人駐在員の方と交流できたことは有意義な経験となりました。

●在ベトナム大使館時代の目標

在ベトナム大使館時代、私はある目標を持っていました。

それは、ベトナム語を流暢に話せるようになることで、そのために現地の人に先生になってもらっていたのです。

その方は、ベトナム首相の通訳も務めたことがある、日本語ペラペラの素晴らしい先生で、週に一度、ベトナム語を教わっていました。

ですが、以前学んだインドネシア語に比べて、ベトナム語の発音の複雑さは想像以上。なかなか私のベトナム語は上達せず、うまく会話をできるようになるのはとても難しいと、学習当初から感じていました。

そうした中、大使館業務を進めていくうちに、ベトナム政府は「徹底的な文書主義」であることに気付きました。

具体的には、組織内外のやりとりはほぼ必ず文書で行われ、そうした文書において今後の対応方針や担当省庁が明確に記載されているのです。

このため、私は先生に、

「話せるようになるのはあきらめます。でも、少なくとも自分の担当分野の文書を読めるようになりたいんです」

という希望を伝えました。

ベトナム語を流暢に話せるようにはなれなくても、せめてベトナム政府が発出する法令や公式文書は直接理解できるようになりたかったのです。

これには、二〇二〇年春の新型コロナウイルスの世界的なパンデミックが関係しています。


先述したとおり、ベトナム政府は「徹底的な文書主義」と言えるのですが、こうした公式文書は、しばしば政府のウェブサイトにも掲載されており、閣議の内容や政策決定の過程などがベトナム語で記述されています。

これらの文書を理解することによって様々な問題解決の糸口が見つかります。

たとえば、あるプロジェクトや案件についての議論がどのように進められているのか、どの省庁・部署が主導で関わっているのかといった情報が得られるので、その情報を元に担当省庁・部署に直接問い合わせれば、仕事の進行が格段にスムーズになると考えたのです。

在ベトナム日本大使館には、日本語が非常に流暢なベトナム人スタッフが多くおり、通常業務では、大使館員がベトナム人スタッフにベトナム語文書の翻訳を依頼し、私たちに提供してくれていました。

また、ベトナム政府関係者はインドネシアと異なり英語で対応出来る方が少なく、ベトナム政府との会合では、ベトナム人スタッフが大使館員の通訳を務めていました。

ベトナムには東京からの出張者も多く、その面談日程の調整や同行などで多忙でしたが、ご存じのように新型コロナウイルスの流行によって世界が大きく変わりました。

テレワークの導入や出張の減少により、以前に比べて仕事の方法が大きく変わり、私には自分のスキルを向上させるための時間が生まれたのです。

この機会を利用して、ベトナム政府が発出する法令や公式文書を日本語に翻訳する作業に取り組むようになり、ベトナム語の会話力から読解力の上達へとシフトチェンジしました。

具体的にどのようにしたかというと、私の和訳をベトナム語の先生が修正し、それを私が日本語の法令的な書きぶりにまた修正する、という流れで、双方が納得するまでキャッチボールが続きました。

その過程で、先生も「日本の法令用語はこのように使うのか」と学ぶことができたとのことで、相乗効果があったようです。

加えて、Google 翻訳のような翻訳ツールの発展にも助けられました。

こうして、翻訳作業を通じてベトナムの法令を詳しく理解することもでき、また、ベトナム政府との会合でその内容を原文のまま指摘することができるようになると、対話が格段に進みやすくなりました。

「あなた、これ読めるのですか？　すごいですね」

などと褒められることもあり、そうした経験を通じて相互の信頼を深められたのです。

もちろん不十分な点もありましたが、こういったツールを活用しつつ手作業で翻訳を作成・修正していくという地道な作業を続けた結果、多くの問題解決に繋がったのです。

なお、こうした知見をぜひ色々な方に活用いただきたいと考え、上司に了解いただいた上で、在ベトナム日本大使館のホームページに「ベトナム経済・経済協力関連法規・通達」という項目を立ち上げ、ベトナム語の原文とともに、私が作成した仮和訳を掲載し、今でも見ることができます。

●インドへの内示と母の急逝

私の人生を大きく変えた転機は、このベトナムでの最終時期に訪れました

私は、ベトナムの次のポストとして、在インド日本大使館への内示を受けていました。

本当はベトナムの任期延長を希望していたのですが残念ながら叶わず、他方、コロナ禍においても引き続き海外赴任を希望しているという稀有な存在だったからか、二〇二一年二月、在インド日本大使館への内示を受けたのです。

インドへの内示をいただいた時、脳裏によぎったのは、インドネシア赴任前のある先輩からの言葉。

「アジアで難しい国って三つあるんだけど知ってる？　インド、ベトナム、そして君が行くインドネシアだよ」

私は、

「これでインドに赴任すればグランドスラム達成だ。現場の業務が性に合っているし、これはお受けしよう」

と三度目の海外赴任を決意したのです。


こうして、七月上旬にベトナムを離任する方向で準備を進めていた二〇二一年五月二三日、突如として、あのパワフルな母がこの世を去ったのです。

最初にご紹介したとおり、北海道の実家は薬局を営んでいて、そのころは兄が参画し、両親とともに店を支えていました。

その悲報が入った日の前日、偶然にも私は母と電話で会話しています。

五月二一日は父の誕生日で、毎年誕生日のお祝いの言葉を電話で伝えていました。

ただ、国際電話は高いため LINE アプリで電話したかったのですが、父は当時スマホにアプリをインストールしておらず、母の LINE に電話して、父に代わってもらった上でお祝いの言葉を伝えていたのです。

その際に母とは、

「七月くらいにベトナムから帰国する予定だから、そのときに北海道にも帰るよ。またすぐに次のインドに赴任しちゃうけど」

というような会話を交わしました。

それが最後の会話となってしまったのです。

ただ、もし仮に父が LINE アプリをインストールしていたら、また、このタイミングでなかったら、私は母と最後に会話することもできなかったのではないかと思います。

偶然にせよ、最後に会話できたのは、神様からのプレゼントだったのではないかと今では思っています。

ベトナムからの帰国はもう少し先の予定でしたが、このような状況になってしまったことから、私は急遽帰国することを許されます。

こうして私は二〇二一年六月三日夜、戦友として様々なプロジェクトに取り組んだ日本企業の皆様に見送られ、日本に向けて出国しました。

●コロナ禍にインドへ

その頃は新型コロナウイルスの影響で日本への入国規制が大変厳しく、帰国してから二週間は公共交通機関が使えませんでした。

そのため、最初の三日間は政府が手配した東横インに強制隔離、残りの一一日間は自主的に成田空港近辺のホテルで自主隔離してから東京の自宅に戻りました。

すぐに外務省と経産省で帰国の手続をし、それから小樽の実家に向かいました。母の遺産整理などに注力させていただき、七月末にはほぼ目途が立ちました。

そこからインド赴任の準備を開始し、ビザの取得には三週間近く要したものの、九月三日に在インド日本大使館に着任することができました。

本来の予定よりも一カ月以上着任が遅れることになったのですが、インドは新型コロナウイルスのデルタ株が猛威をふるっており、新規着任者の到着を遅らせる方針が取られていました。

そういった不幸中の幸いとなった状況もあって、全てが落ち着いたこの時期の赴任となったのです。

着任したとき、コロナ禍のため大使館も二班体制の隔日出勤。

会議はほぼオンライン、半分の同僚としか対面で会えない状況も続き、かつ、業務内容もこれまでのインフラ関係ではなく、主に貿易関係やインドの地方政府主催の投資サミットの調整といった慣れない分野を担当。

さらには、インド政府関係者との会合ではインド英語の洗礼……。

幸運なことにインドネシアで一緒だった語学堪能なMさんが直属の上司。

新たな職場でありながら仕事が進めやすい環境ではありましたが、最初の一年は四苦八苦しながら、自分の仕事のやり方や方向性を作りあげていくにはどうしたらいいか、ということに重きを置いていました。

二〇二二年半ばにはほぼコロナの影響もなくなり、大使館も二班体制を解除。日本とインドが国交樹立をしてから七〇周年という記念すべきこの年に、総理や外務大臣などのインド訪問なども復活し、また、様々なイベントも開催されました。

私の業務の関係では、大きく二つのことが印象に残っています。

一つ目は、インドの地方政府が主催する投資サミット。コロナ禍が明けたことを受け、各州政府は活発に投資サミットを開催。多いときには毎週のように様々な州で開催されました。大使館のみならず、各地域の総領事館やジェトロの皆様とも協力し、それぞれの地域における日本政府・企業のプレゼンスを示すための取組を進めました。その中でも、二〇二二年一一月、新たに着任した大使とともに参加したオディシャ州投資サミットは、とても思い出深い経験でした。

二つ目は、経産省とインド商工省との枠組である日印産業競争力パートナーシップ（India-Japan Industrial Competitiveness Partnership：ＩＪＩＣＰ）のもとに立ち上げられた、ファスト・トラック・メカニズム（Fast Track Mechanism ：ＦＴＭ）です。

インドで活動している日本企業にとって、中央政府や地方政府の規制が事業活動のボトルネックになっていることは多々あります。

ＦＴＭは、日印関係者が一同に会し、何が障害になっているかを直接インド政府に働きかけ、これらの課題解決を促進するという枠組でした。

大使館、経産省、そしてデリー日本商工会（ＪＣＣＩＩ）、ジェトロニューデリー事務所の皆様の協力がなければ立ち上げることができませんでした。この場を借りて御礼申し上げます。


私のライフワークである剣道は、着任当初は全くできない状況が続きました。

デリー日本人会には剣道部（印度剣印会）があったのですが、コロナの影響で日本人メンバーの多くが帰国してしまっていたことに加え、稽古場所であるデリー日本人学校も使用できない状況。

ただ、手をこまねいていても仕方ないと考え、まずは三年ぶりに開催された二〇二二年三月の大使館主催の天皇誕生日レセプションで、日本剣道形を披露させていただきました。

加えて、少しでも稽古できればと、二〇二二年五月からデリー日本人会の大会議室が使えるようになったため、大人数名で再開。

固い床と低い天井という十分とは言えない環境でしたが、摺り足と素振りだけでもと毎週日曜日に稽古を再開することにしました。

嬉しいことに、噂を聞きつけた子供達が入会。

さらには、二〇二三年一月にはついに日本人学校の体育館も使えるようになりました。

人数は少なかったですが、初心者指導を中心に、自分も基本を学び直すつもりで、みんなで楽しく稽古できたことは良い思い出です。

また、デカン高原にあるハイデラバードにインド剣士の剣道クラブがあり、その代表から稽古に参加してほしいという要請がありました。

そのため、一度だけですが週末を使って稽古に参加しました。

この時は、コンクリートの車庫のようなところでしたが、床にマットを敷いて、四〇名程度のインド人剣士が集まり、活況な稽古でした。

剣道がなければハイデラバードに行くことかなかっただろうと思いますので、良い機会をいただきました。

剣道を通じてインド人との交流がもっとできればよかったという思いは残っていますが、それでもインドで得た経験や学びは、これからの私の人生に大きく影響を与えることでしょう。

第五章　経産省を辞め、再び小樽へ

●退職の意向を伝える

私がインドに赴任した二〇二一年九月以降、おおよそ月に一度のペースで、兄と姉と私でズームを利用してそれぞれの近況報告を行っていました。

そこで、母が亡くなった後の実家の薬局の大変さを兄から聞いて、

「私も実家のために何かできないだろうか……」

と考えるように次第になっていったのです。

官僚を辞めることを考え始めたのは、このころです。

また、海外の現場で日本企業支援業務に従事している中で、様々な日本企業のプロジェクトの相談に対応してきました。

しかしながら、最終的な判断は主体である企業様によることに、もどかしさを痛感していました。

相談いただいた時には、「私自身がその企業の職員だ」という気持ちで取り組んでいましたが、当たり前ですが、結局は大使館は第三者の立場にすぎません。

そうしたことに対するもどかしさでした。


「将来的には自分が主体となってビジネスをやってみたい」

そんな思いも芽生え始めていたのです。


こういった背景があり、二〇二二年八月に一時帰国した際、経済産業省に退職する意向がある旨を伝えました。

もちろんすぐには後任を見つけ出すことが難しいのは承知していましたし、このタイミングで離任してしまうと大使館の自分のポストが空席になってしまいます。

ここまで育ててくれた経済産業省と大使館に恩を仇で返すわけにはいきません。

そのため、次の通常異動時期のタイミング（通常は、通常国会閉会後の六月下旬から七月上旬）に、後任をつけていただいた上で帰国したいと希望を出し、了承を得ることができました。

●二一年間つとめた経産省を退官

二〇二三年七月一一日にインドから帰国し、同月三一日、二一年四カ月間勤めた経済産業省を退官しました。

もしかしたら、長年勤めた組織を辞める日というのは、

「ああ、今日でいよいよこの組織ともお別れだ」

などと多くの人は感じるのかもしれません。

ですが、私はとくに感慨深い気持ちにはなりませんでした。

経済産業省という肩書きを失うことの重みは理解していましたが、退職するというよりも、

「今度は薬局に出向するんだ」

というような、これまでの出向と同じ感覚でした。

私の場合、大使館合計九年弱（インドネシア四年、ベトナム三年、インド一年一〇カ月）、

内閣官房一年七カ月、国交省一年と、役人人生の半分強が出向という珍しいキャリアパスを歩んでいたため、今回の決断もその一つと変わらない、今思うと不思議な感覚でした。

退官翌日の八月一日の朝、お世話になった方々に退官を報告するメールを送り、羽田から小樽に向かいました。

すると、道中、多くの方から驚きと応援の連絡をいただきました。

中には、「グレーターMETIとして頑張れ」という言葉もありました。

「グレーター（greater）」は、英語では地名の前につけて「都市とその周辺の地域」を指す時に用いられます。

例えば、「Greater Tokyo」の場合は、「東京とその周辺」とか「首都圏」といったところでしょうか。

また、「METI」は経産省の英語の略称で、「メティ」と呼びます。

経産省では、他省庁や地方自治体への出向や海外赴任している人達などを「グレーターMETI」と呼んだりしているのですが、私は経産省を退官した身。

そんな人間に対しても、「経産省を離れても、経産省の一員であり、経産省ファミリーとしての繋がりは変わらないので頑張れ！」というエールをいただいたことは大変嬉しく思いました。

そんな言葉に励まされながら、私は小樽に戻っていきました。

●二つのテーマ、そして現在の仕事

私は、家業である松ヶ枝堂薬局に参画するにあたり、二つのテーマを持つことにしました。

それは、「薬局＋アルファ」、そして「小樽×国内外の他の地域・都市」というものです。

「はじめに」で記載したとおり、小樽の人口減少はどんどん進んでおり、それは薬局にとっては患者数が減少するということに繋がります。

将来的には薬局だけでは大変厳しい状況になると捉えたのです。

そのため、薬局をベースにしつつ、他のことにもチャレンジしていくことが重要と考えました。それが「薬局＋アルファ」です。

そして、人口減少が進む小樽の活性化には、日本国内のみならず、海外の活力も取り入れていくことが重要だと考えています。

それには、国交省時代に取り組んだ「対流」をどのように起こしていくかという経験と、三つの大使館で勤務した海外の方々との交流を通じて得た経験を活かすことができるのではと考えました。

それが「小樽×国内外の他の地域・都市」です。

現在、私は松ヶ枝堂薬局において、主にSNSの発信や店内のレイアウト、一般医薬品などの販売や調剤薬剤師としての業務に従事しています。

調剤薬局の業務は経産省に入省する前に半年ほど経験していましたが、なにせ約二〇年ぶり。その時の記憶や、学生時代と国家試験受験時の知識は忘却の彼方でした。

一番苦労したのは薬の名前が分からないこと。私がパート薬剤師をやっていた当時はジェネリック医薬品（後発医薬品）が出始めた頃で、取り扱っている薬はほぼ先発医薬品でした。

現在、厚労省は医療費削減の観点から、先発医薬品より安価なジェネリック医薬品を推奨しており、それらは先発医薬品と名称が異なります。

そのため、調剤業務に久しぶりに入った時は、忘れていたことも相まって、薬の名前が分からず面を食らいました。

また、服薬指導（患者様に医師から処方された薬をお渡しする際、その薬の情報提供を行うこと）では、処方された薬を一つ一つ確認し、患者様がどのような症状で通院したのか、薬の飲み合わせは問題ないか、どのようにすれば理解いただきながらお薬を飲んでいただけるか、といったことを考えながら取り組んでいます。

薬の薬効や用法、用量を覚えることも勉強し直しています。

こうした業務を通じ、当たり前のことですが、薬剤師としての基本知識と薬局の基本業務をしっかりと理解して取り組み､足場を固めていくことが重要だと改めて認識しました。

兄や従業員の皆様に迷惑をかけっぱなしですが、早く力になれるようにと思いながらの毎日です。

こういった薬局での業務に加えて、二つのテーマを実現するための新しい挑戦の一環として、私のこれまでの職歴を活かす方法を考えました。

その一つが、「小樽つちや行政書士事務所」の開設。

公務員として二〇年以上の行政事務経験（高卒は一七年以上）があり、認定されると、試験を受けることなく行政書士登録ができる、という制度があります。私は、それを活用しました。

実は、行政法や民法などの知識が必要だった電力安全課と厚生企画室に在籍していた時、それぞれ一回ずつ行政書士試験を受けていたのですが、あえなく不合格。

改めて試験を受けることも選択肢の一つでしたが、時間もかかることから、使える権利は使おうということで、二〇二三年一一月に申請し、二〇二四年一月に登録、開業しました。

行政書士は、他の法律業と比較すると、何をやっているのかよく分からないといった印象をお持ちの方が多いと思います。

一言で表現することは本当に難しいのですが、基本的な業務は次のとおりであり、本当に幅広い分野をカバーしています（参照：日本行政書士会連合会ホームページ）。

①「官公署に提出する書類」の作成とその代理、相談業務
建設業、運送業等の許認可等に関するもの。その数は一万種類を超えるとも言われています。

②「権利義務に関する書類」の作成とその代理、相談業務
主なものとして、遺産分割協議書、各種契約書（贈与、売買等）、示談書、協議書、内容証明、定款等があります。

③「事実証明に関する書類」の作成とその代理、相談業務
主なものとして、実地調査に基づく各種図面類（位置図、案内図、現況測量図等）、各種議事録、会計帳簿、貸借対照表、損益計算書等の財務諸表等があります。

④その他の特定業務
・出入国管理及び難民認定法に規定する申請に関し、申請書、資料及び書類の提出並びに書類の提示を行う業務（申請取次行政書士）
・許認可等に関する審査請求、再審査請求等行政庁に対する不服申立ての手続について代理し、及びその手続について官公署に提出する書類を作成する業務（特定行政書士）

まだ開業したばかりですので、現時点では業務範囲を特に決めず、依頼いただいたものはどんどんお受けする、というスタンスでいます。

しかしながら、将来的には大きな柱として、二つに注力したいと考えています。

一つ目は、高齢化が進む小樽において、確実に次の世代にバトンを渡す環境整備という観点から、相続や遺言関係のサービスを提供することは、非常に意味のあることだと考えています。

二つ目は、人口減少が進む中、小樽においても特定技能などの制度を活用した海外人材の力がより必要になることは確実だと考えています。

「人材」は財産であり、「人財」です。そのため、海外の方々の出入国をサポートするため、申請取次行政書士となるべく準備を進めているところです。

小樽でも剣道は続けています。

子供達が減ったこともあり、高校まで所属した小樽かもめ道場は既に閉鎖となり、私の師匠である今野吉晴先生は二〇二二年一〇月にご逝去され、さみしい気持ちではあります。ただ、少しでも恩返しできればと思い、小樽剣道連盟に加入、週三~四回のペースで稽古に取り組んでいます。

また、小樽の旧友も暖かく迎え入れてくれたこと、そして、これまで交流があった方々が小樽に遊びに来てくれたことも本当に嬉しく思います。

まだまだ手探りの毎日ですが、できることはすぐに行動し、私をここまで育ててくれた地域に貢献しようと日々、努力をしているところです。

それが、家業や小樽の活性化に繋がれば本当に嬉しいです。

おわりに

最後までお読みいただき、ありがとうございました。

私の四六年間の人生を一冊の本にしたのですが、本当にさまざまな出来事を経験し、多くの方々との出会いがあったなと改めて感じています。

私自身、このような人生を歩むことになるとは夢にも思っていませんでした。

自分自身の人生を振り返り、私が読者の皆さんに強く伝えたいことが二つあります。

一つ目は、

「人生では、一つのことに固執しなくても大丈夫だ」

ということです。

私にとっての一番の転機。

それは、就職活動中に「薬」に強くこだわっていた時期があったものの、経済産業省の面接を通じて、この大切な教訓を気づくことができたことでしょう。

もちろん、一つのことにしっかりと取り組むことも重要です。

しかしながら、人生はまさにトレードオフ。一つにこだわりすぎてしまうと、大きな機会損失をしてしまう可能性もあります。

この気づきは、私にとって非常に価値があるものでした。


二つ目に読者の皆さんに伝えたいこと。

それは、私のような経歴を目指してほしいなどというものでは決してありません。

「その瞬間瞬間を全力で生きることの大切さ」を知ってほしいのです。

生きているとつらいこともたくさんあります。

私自身、何度も失敗をしています。

大学院時代にはどん底まで落ちました。

経産省に入ってからも多くの挫折を味わいました。

けれど、時を経て振り返ってみると、全力でぶつかってきたからこそ、悩んできたからこそ、そんな出来事でさえ自分にとって大きな糧となったと感じることができるようになりました。

だからこそ、今というこの時を全力で生きることが、とても重要なのだと思います。


昨年七月、退職前に私を採用してくださったYさんにお会いする機会がありました。

このとき、ＡＬＳという難病を患っているYさんは、まだ寝ながらでも会話ができる状態でしたが、その直後に誤嚥を防ぐために気管切開を決意されたとのことで、今は声での会話ができなくなってしまいました。

最後に直接の会話ができたことは、私にとって非常に貴重な経験であり、ありがたいもの。

「土屋君は私にとって子供のような存在です」

と言っていただけたことは、忘れられない思い出です。

合成音声での会話はできるとのことですので、これからもご指導いただければと思っています。

そして、私の今回の決断を受け入れていただいた経済産業省、そして父、兄、姉、私の家族には本当に感謝しています。

そして、天国の母にも。

特に、子供の受験や色々なことが続く中、五年間の海外単身赴任に続き、小樽での国内単身赴任を受け入れてくれた妻には感謝しかありません。

そして、本書の執筆を打診いただいた游藝舎の皆様には、このような機会をいただき本当にありがとうございました。

最後に、これまでお世話になった方々に改めて感謝を伝えさせていただきます。

本当はまだまだ書きたいこと、伝えたいことが山ほどありますが、今回はこのくらいで筆を置かせていただきます。
ありがとうございました。

二〇二四年四月　土屋武大

装丁：鈴木大輔（ソウルデザイン）

編集：岩崎輝央

土屋武大（つちや・たけひろ）

松ヶ枝堂薬局・薬剤師／小樽つちや行政書士事務所・代表

＜経歴＞

1977年6月生。北海道小樽市出身。

北海道立小樽潮陵高校、東京大学薬学部、同大大学院薬学系研究科修士課程（中退）を経て、2002年4月、経済産業省入省。

同省商務情報政策局サービス政策課を皮切りに、電力安全政策、石油流通政策、通商政策、出向（内閣官房（TPP、経済再生総合事務局）、大使館（インドネシア、ベトナム、インド）、国土交通省）等を経て、2023年7月末に退官。

同年8月に松ヶ枝堂薬局に参画。2024年1月に小樽つちや行政書士事務所を開設。

特技：剣道（錬士六段）

キャリアパスで大切なたった２つのこと

2024 年 5 月 31 日　初版　第 1 刷発行

著　者　　　土屋武大

発行所　　　株式会社 游藝舎
東京都渋谷区神宮前二丁目 28-4
電話 03-6721-1714　FAX 03-4496-6061

印刷・製本　中央精版印刷株式会社

ISBN978-4-9913351-1-2 C0030